アクティブ・ラーニングで学ぶ

著者 吉田卓司
Yoshida Takashi

Active Learning

教育実践基礎論【改訂版】

三学出版

はじめに
——傷つけられ、殺された子どもたちの声なき声

本書は、『教職入門・生徒指導法を学ぶ』（初版 2004 年刊行）を全面的に改訂したものである。

前著同様、最も大切にしたいことは、様々なかたちで傷つけられ、声をあげることさえできない子どもたちの「声なき声」をも受けとめられるような、子どもとの共感力、人間味のある生徒指導のありかたを主体的に創造し、実践する指導力を、教職を志望する人たちに育むことである。

前著が、私の担当講義以外にも、多数の大学等において教職教育のテキストとして活用いただき、増刷を重ねることができたのは、望外の幸せであった。

しかし、極めて残念なことに、前著『生徒指導法を学ぶ』刊行の後も、学校現場では、体罰やいじめに起因する自殺事件が起こるなど、学校と子どもに関する悲しむべき事件・事故が止むことはなかった。

このような日本の教育の現実に真剣に目を向け、その原因と背景を省察し、それを貴重な教訓として、「本当の意味で子どものための教育的な指導とは何か」を、これから教師になろうとする人たちに伝える責任を、私自身さらに深く自覚せねばならない。

他方では、これらの事件を契機として、「いじめ防止対策推進法」（以下、「いじめ防止法」と記す）等の新たな法令や通知が出されたり、関係する教育委員会（以下、「教委」と記す）が事故・事件の報告書をまとめたり、審議会による施策の指針が公表されたりしてきた。

教員は、社会情勢の変転によって揺れ動く教育法制と教育施策に対して、その問題点や課題を理解したうえで教育にかかわる必要がある。そして、同時に教育政策の動向や事故・事件の教訓を、主体的に教育実践に取り込んでいかなくてはならない。

教師自身にも子ども時代があり、そうであったように、子どもとは試行錯誤を経て発達・成長する存在である。学校や家庭の内外を問わず、様々な場面で、子どもたちにはいろいろ悩みや不安が生じ、それが問題行動として表面化することも少なくない。そのような時に適切な指導を行うことは、個々の親や教師にとって、また家庭や学校にとって大切な責務である。それと同時に、適切な教育の機会と更生のチャンスを用意することは社会全体の責務であり、言い換えれば国や自治体にも、相応の責務があるといえよう。

　具体的には、授業や学校行事のなかで、あるいは通学途中や放課後のクラブ指導のなかでも、その機会を逸することなく適正な生徒指導や教育相談を行うことは、教員の基本的な責務である。もっともそれは、子どもの課題やトラブルを個々の親や教師が抱え込むことを意味するのではない。

　校内の教職員の連携と組織的な対応はもちろんのこと、家庭や関係機関、例えば福祉行政、医療機関、ＮＰＯなど多くの人々と連携し、地域のネットワークを活かした取り組みが求められている。

　今日、教職教育にとって大切なことは、これらの社会的資源を生かした他職種との連携する力、ソーシャルキャピタルを活用するネットワーク力の育成とそのための知恵をはぐくむことである。本書は、そのような視点から、一教員や一学校の個別的経験のみに依存した生徒指導ではなく、学校の内外における連携のあり方についても、可能な限り言及していきたい。そして、本書を手に取られた方々が、自らの知性と身近な絆を生かした「教育のあり方」をつくりあげてもらいたいと願っている。

教育法と指導法

　では、教師があるべき指導方法を実践し、学校としての組織的な生徒指導を構築し、さらに関係機関や地域と連携しようとするとき、何を基盤として考えていけばよいのか。教育に関して、教育理念や子ども観の基盤を指し示すものが、日本国憲法、児童の権利に関する条約（以下、「子どもの権利条約」と記

す）であり、教育法である。本書では、「教育法」の用語を「教育に関する法規」の意味で用い、「指導法」を「教育的指導を行う方法ないし方法論」の意味で区別して用いるが、その教育法と指導法は、密接不可分の関係にある。

　ここでとりあげる「指導法」が、教職員として今日の学校教育の制度下で行われるものである以上、その教育的指導のあり様は、最高法規たる日本国憲法の諸原則、すなわち基本的人権の尊重、国民主権、平和主義といった諸原理に基づき、教育基本法、学校教育法の理念にそったものでなくてはならない。教育基本法第1条は「教育は、人格の完成を目指し、平和で民主的な国家及び社会の形成者として必要な資質を備えた心身ともに健康な国民の育成を期して行われなければならない」と定めている。教育目的が、そのように示されているからこそ、その共通理解の下、教職員が一致協力して、現実的かつ公正・適切な生徒指導をおこなうことができるのである。言い換えれば、このような人権思想と民主主義に背反する学校教育は、ありえないということもできる。

　本書では、「生徒の権利を保障するために教師が、あるいは教師集団が生徒にどのように関わっていくべきか」というテーマに対して、読者に自己の問題として理解を深めてもらいたい。そして、本書が問題解決の方向性や展望を見出すことに貢献できれば幸いである。

問題演習の利用について

　生徒による問題行動の発生、違法行為の発覚は、教師から見れば、多くの場合において唐突な出来事である。そして生徒指導の場面は、突然やってくる。それに即した臨機応変な対応や適切かつ瞬時の判断が教師に求められる。教科指導が事前の教案準備にそって行われたり、学校行事等の特別活動が何ヵ月も前から計画に従って進行したりするのとは、この点で、大きな違いがある。それだけに、生徒指導の様々な局面において、教師自身の基本的な教育観や人権感覚が、その言動にあらわれる。その際、単なる知識や、マニュアルがそのときの生徒指導にそのまま役立つということは少ない。教育政策の最大の目標が

「子どもたちの最善の利益」（児童の権利に関する条約３条）であっても、そこにいたる道筋は様々である。だからこそ、教育にかかわる人々には「よりよい教育とは何か」を自分自身で考えてもらいたいし、その答えは、決して一つではないからこそ、教師の専門性に裏付けられた主体的判断力とそれに基づく対応が必要とされていることも最初に述べておきたい。

　前著と同様に、各章末に問題演習を設け、模範解答を付した。ただし、それらは、あくまで自己省察の一助であることを申し添えたい。採用試験対策として模範解答を暗記しても、教育や子どもに対する基本的な考え方が確立していなければ、面接や論述試験で評価されることはないであろう。そもそも教師としての指導力とは、先人の優れた教育実践や指導事例から学んだことを「自分の眼前の状況において、どのように生かすか」という応用力だといってもよいだろう。その意味でも、問題演習と解答・解説は、自分自身の答えを探す、一里塚と考えて参考にしてもらいたい。

目　次

はじめに　iii

序章◉教育実践の基礎・基本を考える ……………………………　1

　校門指導が招いた女子生徒の死　1

　生徒指導と生徒の人権　2

　生徒指導と教師の連携　5

　遅刻した生徒をほめる？　6

　教育実践の基礎・基本　8

　アクティブ・ラーニング❶　遅刻指導のロールプレイ　9

　（問題演習）「ベル着席」・「居眠り防止」の指導　　10

第1章◉体罰を考える …………………………………………　13

　体罰とは何か　16

　骨折、打撲、鼓膜破裂からセクハラ的体罰まで　19

　　①小学校の体罰例　19

　　②中学校の体罰例　21

　　③高校の体罰例　22

　体罰「教育」是認の論理と心理　22

　体罰容認の社会意識が生む悲劇　23

　ペナルティ特訓で急死した有力選手──京都田辺野球部熱中症死亡

　事件　24

　体罰是認の風潮が殺人を生む──岐陽高校修学旅行体罰死事件

　26

　体罰禁止を「タテマエ」から「ホンネ」にするために　27

　体罰問題でディベートやロールプレイをしよう　28

アクティブ・ラーニング❷　体罰についてのディベート　29

（問題演習）体罰肯定論に反論する　31

第2章◉いじめを許さない …………………………………… 35

いじめ防止対策推進法――いじめの定義　35

いじめが子どもを殺す　35

「深刻ないじめは、どの学校にも、どのクラスにも、どの子どもに
も起こりうる」　36

もう限界やねん　38

自殺は防げた　40

いじめ指導の三原則　41

いじめは必ず解決できる　42

大津市立中学校いじめ自殺事件の教訓とは　43

アクティブ・ラーニング❸　いじめのケーススタディを寸劇で　45

（問題演習）いじめ指導の基本方針　46

第3章◉生と死をどう伝えるか ……………………………… 49

子どもの自殺原因　50

「自殺系サイト」と『完全自殺マニュアル』――「命の重み」を考
える指導　52

「生と死」を考える指導　53

「死にたい」と相談されたとき　54

「TALK」の原則　55

アクティブ・ラーニング❹　「死ぬほどつらい」と相談されたら　57

（問題演習）生と死にかかわる指導の留意点　58

もくじ　ix

第4章◉不登校は悪くない？ ……………………………… 61

不登校生を「見守る」ということ 62

「不登校」をどうみるか？　──ナオコの場合　64

初めての面談　64

いじめと不登校　65

「君は何も悪くない」　66

不登校への働きかけ　67

アクティブ・ラーニング❺ 不登校の対応を考えるブレインス
トーミング　68

（問題演習）自分のクラスの生徒が不登校になったら　70

第5章◉セクシャル・アクシデントと性教育 ……………… 73

中高生の性被害　74

「まじめ」な少女が家出や妊娠　75

メル友がストーカーに・・・　76

性教育と生徒指導　80

避妊、妊娠、中絶、出産　83

他校、警察、地域との連携を考える　84

性にかかわる指導の道しるべ　86

アクティブ・ラーニング❻　現代の性教育を語るグループワー
ク　87

（問題演習）青少年の性にかかわる法律　88

第6章◉問題行動と「チームとしての学校」 ……………… 91

軽い注意にキレる心　92

生徒指導提要を読む　93

生徒指導の課題　93

「チームとしての学校」　94

家裁・少年鑑別所などとの連携・相談　95

福祉・医療の関係機関との連携　97

アクティブ・ラーニング❼　生徒指導についてのグループ討
議　99

（問題演習）精神保健と少年司法　103

第7章◉校則違反と懲戒処分 ……………………………… 105

毎日悩みの服装指導　105

丸刈り訴訟とパーマ退学訴訟の概要　105

校則見直しの基本的視点　108

茶髪・ピアスの指導はどのようにすべきか？すべきではない
のか？　109

指導と「抑圧」　110

違法行為の指導　111

薬物乱用事案への取り組み　113

アクティブ・ラーニング❽　『生徒指導提要』を活用したグル
ープ・プレゼンテーション　114

（問題演習）出席停止と懲戒処分　116

補章◉教員採用試験から見た「求められる教師像」…… 119

［筆答試験］（長崎県、大阪府、東京都）　119

［面接試験］（大阪府、大阪市、愛知県、兵庫県）　127

［ロールプレイ］（愛知県、大阪府、兵庫県）　128

［集団討論］（兵庫県、愛媛県、北九州市）　129

もくじ　xi

資料編 ‥‥‥‥‥‥‥‥‥‥‥‥‥‥‥‥‥‥‥‥‥‥‥‥‥‥‥ **131**

児童の権利に関する条約（抄）　131

教育基本法　143

学校教育法（抜粋）　146

＜懲戒・体罰＞

学校教育法施行規則（抜粋）　147

法務調査意見長官回答「児童懲戒権の限界について」（抄）　148

＜いじめ＞

いじめ防止対策推進法のあらまし　150

文部省初等中等教育局長通知「児童生徒のいじめの問題に関する指導の充実について」（抄）　152

文部省初等中等教育局長通知「いじめの問題に関する総合的な取組について」（抄）　152

＜関係機関との連携＞

文部省初等中等教育局長通知「児童生徒の問題行動等への対応のため　の学校と関係機関との連携等について」（抄）　153

＜飲酒・喫煙の禁止＞

未成年者飲酒禁止法　154

未成年者喫煙禁止法　154

参考文献 ‥‥‥‥‥‥‥‥‥‥‥‥‥‥‥‥‥‥‥‥‥‥‥‥‥‥‥ **155**

序章◉教育実践の基礎・基本を考える
——遅刻指導と女子高生校門圧死事件

　授業であれ、遠足や運動会などの特別活動であれ、あるいは部活動などの課外活動であれ、児童生徒が教室や集合場所に集まらなくては、いかなる教育活動も始まらない。

　その意味では、遅刻・欠席への対応は、教師にとって日常的な指導場面であり、すべての教育実践の第一歩といってよいだろう。

　その遅刻指導について考えるとき、1990 年の神戸高塚高校校門圧死事件は忘れることのできない事件である。

校門指導が招いた女子生徒の死

　1990 年 7 月 6 日朝 8 時 30 分、1 学期の期末考査を受けようと登校していた兵庫県立神戸高塚高校の 1 年生石田僚子さんは、遅刻指導の教師が閉めた校門の門扉によって頭蓋骨を粉砕され、死亡した。この事件は、発生直後から大きく報道され、事件の捜査や裁判の推移には注目が集まった。

　事故責任の追及を恐れた県教育委員会と校長らは、門扉閉鎖を担当したH元教諭（以後Hと略記）に責任を押しつけた。それが非常に分かりやすいかたちで露見したのは、皮肉にも事故の再発防止を目的として開いた県立高校の生徒指導協議会の場であった。兵庫県教育委員会高校教育課の生徒指導係長は、圧死事件を「一県の一高校の一教諭による一生徒の事故」と発言し（毎日新聞 1990 年 9 月 1 日）、この事件は、無謀な一教師が起こした例外的事故であるという認識を示したのである。もちろん高塚高校圧死事件は、ある意味きわめてまれな事例である。しかし、生徒の安全や人権に対する配慮の無さや、このよ

うな事件に対する無反省な態度こそ、この事件の根本的な要因であると言わなくてはならない。

　なぜなら、当時、遅刻指導として校門を閉鎖していた学校は、高塚高校だけではなく、実際に他校でも、遅刻指導の際にカバンや服装、そして身体の一部を校門にはさまれた例がある。事実、圧死事件の直後に、しかも同じ兵庫県内で、遅刻した女生徒が教師の閉めた校門の門扉に自転車ごと衝突してけがをするという事件も起きている（朝日新聞 1990 年 8 月 18 日）。そういった状況から考えれば、事件の予兆は、すでに多発しており、高塚高校の事件は、起こるべくして起きたといっても過言ではなかったのである。

　いじめ自殺や体罰事件など、学校教育にかかわる事件や事故は、しばしば世間を騒がすが、このような教育現場で起きている事例を他人事としか見ない教師がいるとすれば、それは第二、第三の加害者予備軍であると言わなくてはならない。そして、二度と児童生徒の犠牲者を出さないためには、本書で取り上げるような事案が忘却と風化を招かないように、その教訓を教師一人一人が心に刻むほかないのである。

生徒指導と生徒の人権
──ゼロ・トレランス型の管理教育は破綻

　門扉閉鎖を担当した教師は、遅刻指導のマニュアルを忠実に実行しようとして事件を起こしてしまったという点は、特に注目すべきである。その指導マニュアルは校務運営委員会や職員会議で決められたものであるが、その職員会議は職員の合意形成や討議の場というよりも、校長の補助機関として位置づけられ、上意下達のための機関と化している学校が多い。さらに、校内で独占的権限をもつ校長は、数年間で転勤させられ、教職員、生徒、保護者の意向をくみ上げることよりも、いかに生徒や教職員を意のままに操れるかを競わされる。高塚高校の校長たち管理職も、教師に対して服装や職員室机上の荷物の置き方

といった細々したことまで命じるなど、徹底した教員統制を試みていた（細井敏彦『校門の時計だけが知っている』48-50頁）。こうして生徒・教師への管理統制が行きつくところまで行った結果が校門圧死事件であったといってもよいだろう。

「ゼロ・トレランス」とは、直訳すれば「寛容性なし」という意味である。すなわち、如何なる理由があろうとも、結果として「遅刻」や「規則違反」があれば、あらかじめ規定された懲罰が「公平に」行われるという指導体制である。

今日の教育の実情からすれば、このようなシステムを有する学校は、決して少なくはない。だからこそ教師一人一人が、教育の基本理念に立ち返り、自分の日々の指導法を常に反省する謙虚さをもつことが求められる。

そのような自覚こそが、教育実践の基礎・基本になくてはならないし、そのような生徒一人ひとりへの人としての尊厳や基本的人権を大切にすることこそが、教育実践の真の基盤でなくてはならない。

では、「なぜ女子生徒は校門に駆けこみ、教師はマニュアルどおり機械的に門扉を閉めたのか」、そして、「なぜこれほどいたましい悲劇が起きてしまったのか」。もう少しここで、事件発生の経過とこの校門圧死事件が残した教訓を考えてみたい。

高塚高校では、遅刻者にはグラウンドを走るペナルティがあり、遅刻者とそうでない者を区別するために、生徒指導内規において「校門は8時30分の予鈴の鳴り始めで閉じて指導する」とされていた。まさに、典型的なゼロ・トレランス型の遅刻「指導」である。

生徒の側からみれば、事件当日は学期末考査が行われるので、いつもの授業に比べて、考査前のランニングという制裁を避けたいと考え、危険を冒してでも校門内に走りこむことになる。

他方、遅刻指導を担当した3人の教師は、当時どのよう行動し、何を考えていたのか。

4

　事故後 4 日目の 7 月 10 日付で H の書いた事故顛末書（抜粋）には、このように記載されている。

　　事故当日、校門指導の当番になっていたため、午前 8 時 10 分すぎに、校門当番に出ることを 3 学年主任につげ、校門には 8 時 15 分ごろ着きました。それから間もなく同じように校門指導の当番にあたっていた A 先生（原文実名）が来られ、ついで B 先生（原文実名）も来られました。

　　いつもであれば、生徒の流れはテストの時にはわりとはやいのですが、この日は期末考査の初日であるにもかかわらず、かなり遅く、私は持ってきたハンドマイクで 5 分前から急ぐように再三再四呼び続け、特に前をゆっくりと歩いている者には後がつかえているので急ぐように、後ろからゾロゾロ来る者には走ってくるように指示をしました。

　　この時、B 先生は駅よりのフェンスの一番端にいて、小型のハンドマイクで生徒をせかしており、A 先生は校門近くで指導していたように思います。今までの私の経験から言えば、テストの日には生徒の登校は通常の日の登校よりも早くなり、午前 8 時 28 分にはすべての生徒が校門を通過している状態にあったのですが、この日は全体の流れが遅く、遅刻者が出ると思われたので、ハンドマイクを通して指導する私の声もいつもよりは大きくはなりましたが、動きは極端にそう早くはなりませんでした。

　　そこで私は「3 分前」「2 分前」とカウントダウンをして生徒を急がせようとしたのですが、2 分前になってもかなりの生徒が通学路にあふれていたので、1 分前になると校門沿いのフェンスのところから「閉めるぞー」と声を出しながら校門のところまで駆け戻りました。これをすると私の動きを見ていた生徒は校門を閉められると思い、早足になったり、駆け足になったりするものです。

　　私が校門の門扉を閉める態勢に入ったのは午前 8 時 29 分 30 秒ごろでした。私は前日自分の腕時計を学校のチャイムに合わしていたので時計を見ながら 10 秒前から 10、9、8…とカウントダウンをはじめ、「5 秒前閉めるぞー」と言って 8 時 30 分、チャイムが鳴り始めると同時に門扉を閉めました。（朝日新聞神戸支局編『少女・15 歳』92 頁より）

　こうして校門に走りこむ生徒たちの列に向かって、チャイムが鳴り始めるやいなや重さ 230 キログラムの鉄製門扉が閉じられたのである。まさにこの時、石田僚子さんは、前屈みで、身体を縮めるようにした姿勢のまま、頭部を門扉とコンクリート製門壁にはさまれ、脳挫滅により死亡した。

　顛末書からもわかるように、H は、前日に自分の腕時計を学校のチャイムに

合わせておくほど時刻に厳格であった。その理由は、「遅刻指導のマニュアル通りに校門を閉めて、厳密に遅刻者とそうでない者を区別しなければならない」という強い「信念」があったからである。そこには、「誰がいつ遅刻チェックをしても同じ結果にならなくてはならない」という画一的「平等」を「理想」とする考え方が横たわっている。別な言い方をすれば「校門当番の先生によって門を閉める時間が違う」とか、「クラス担任や教科担当者によって遅刻の基準が違う」と生徒に言わせないゼロ・トレランス型の「指導」を目指していたのである。

けれども、このような機械的な画一性の追求には際限がなく、ますます教育活動を硬直化させ、その指導が非人間的なものになり、指導する教師の教育への熱意を奪いかねない。実際に高塚高校でも、あれほど厳格な内規を定めても現実には遅刻指導における校門閉鎖の方法は担当教師によって様々であり、遅刻指導に対する認識にもかなりの隔たりのあったことが高塚高校の教師たちの供述から明らかになっていった。

生徒指導と教師の連携

重さ230キロの鋼鉄製門扉は、基底部の車輪でレール上を動き始めると、その慣性力のために途中で急停止させることができない。Hに対する刑事裁判でも、その構造上の危険性は明らかであるとされている。しかし、これほど危険な遅刻指導を推し進めていた生徒指導部長のM教諭は、裁判では、危険性を数回教職員に注意を促したと供述しているが、その指示は職員に徹底されてはいなかったし、事故当日、Hと遅刻指導を担当していた2名の教師も、その現場にいながら、校門閉鎖時に生徒の危険な駆け込みを防止する任務を果たしていない。「チャイムの鳴り始めで門扉を閉じる」という内規はあっても、遅刻当番の3名の任務分担や「生徒の安全確保のための対策」は皆無だったのである。

刑事判決で、検察官は、前述の教育委員会の見識と同様に、事件を「無謀な

一教諭による事故」として閉鎖行為の「無謀性」を強調していた。しかし、裁判所は、この事件について「同校では、生徒指導の一環としての遅刻指導につき、登校時刻に門扉を閉じてこれを行うことにした際、門扉閉鎖の仕方によってこれに危険が伴うことに十分注意が及ばず、安全な門扉の閉め方や危険防止のための作業分担等の指示、取決めがなく、これらをその日ごとの当番者の裁量に任せていたものであり、これは、同校の生徒指導部の一員であった被告人個人の責任とは別に、当時、学校として、生徒の登校の安全等に関する配慮が足りなかったことを示すものである」と判示した。いわば、事件の要因として、同高校の遅刻指導計画の不備や教員間の連携の不十分さを指摘した。

　その意味では、校長、教頭ら管理職はもちろんのこと、教育条件整備の面での教育委員会の責任も大きい。まして学校の生徒指導をどのようにすすめていくのかという点では、教師相互の事故防止に対する連携と共通理解が強く求められている。

遅刻した生徒をほめる？
──遅刻の原因の多様性と教師の対応

　ある秋季遠足の解散のときのことである。班別自由行動から学年全員の生徒が集合場所に集まってきた。クラスごとに点呼をしてみると、数名の生徒がいない。何人かの生徒が携帯電話で連絡をとってみると、「今こちらに向かっている」という。それから少しして、数百メートル先に、こちらに全速力で走ってくる生徒たちの姿がみえた。学年全体の生徒が、そちらに注目している。学年担当の教師から「もう少し待ってくれ、遅れた生徒を残して帰るわけにはいかないから」と言ってあるので、皆が集合隊形のまま遅刻して走ってくる生徒を見守っているのだ。遅刻した生徒たちは、点呼とともに担任教師から注意を受けて、友達にすまなさそうにクラスの列に入り、全員揃ったことを確認して帰路に着いた。そして、遠足終了時の解散の後、遅刻した生徒を集めて、学年の生徒指導担当のＳ先生は、遅刻に対する説諭の最初にこう言った。

序章●教育実践の基礎・基本を考える　7

　「まず、集合時間に遅れそうになって、それで解散場所までものすごい汗を
かきながら、一生懸命に走って戻ってきたという点は、ほめてあげたい」と。
そして、その後に、何事も時間的、精神的にゆとりをもって行動し、今後の日
常の学校生活でも団体行動時に迷惑のかからないように、あるいは人に心配を
かけないように、さらに自分自身が社会のなかで人からの信頼を失わないため
に遅刻をしないようにとの指導を行ったのである。
　このときの生徒の様子を間近にみていると、遅刻で皆にかかる迷惑を最小限
にしようと懸命に走ったことが認められた生徒たちは、また新たな気持ちで「も
う二度と、友達に迷惑をかけることはしないぞ」と素直に反省しているように
思われた。遅刻指導の結果、「時間を守ろう」という気持ちを生徒たちが高め、
より望ましい行為規範を身につけることこそが重要な指導目的である。まして、
遠足のときならば、少しでもよい思い出を胸に刻んでほしいと願うのが行事を
企画した教師たちの思いである。その意味では、このときのＳ先生の「遅刻し
た生徒であっても、評価すべき点は評価し、ほめる」という説論の仕方には、
教えられるところがある。

　どのような教育的指導でも、頭ごなしに叱りつけるだけで指導の実効性があ
るのならば、教育方法や指導法を吟味する必要はないだろう。遅刻指導でいえ
ば、「遅刻がダメなのはあたりまえだ」といって、遅刻生徒に、遅刻理由も聞
かずに叱りつけたり、問答無用とばかりに扉を閉ざすような指導は、生徒と教
師の信頼関係を損なうことにもなりかねない。

　冒頭でも述べたように遅刻指導は、登校時だけでなく、各クラスやクラブ、
あるいは学校行事など、常時行われていることである。例えば、授業時に授業
教室で着席し授業がスムーズに行われるように、委員会・クラブ等の活動では
開始時間に活動場所に集合するように指導することは、いわば日々の教師の仕
事であるといってもよい。

私自身が高校教師であったとき、遅刻した生徒に対応するとき、私自身が最も発した一言は「どうしたの？」であった。そして、生徒が、頭痛、腹痛など「体調不良で遅れた」といえば、私は「もう大丈夫かい？」と尋ねたり、「しんどいのによく頑張って学校にきたね」などと励ましたりすることになる。

また、遅刻が常態化している生徒に対しても、叱責による指導が効果的とは思われない。なぜなら、「寝坊」による遅刻がしばしばみられる場合には、夜更かしの原因や朝の体調不良の背景にある生活リズムの改善など、根本的な原因解消がはかられねば、遅刻の解消にはつながらないからである。場合によっては、学級担任を中心として、学年担当や生徒指導担当教師が、対象生徒の生活指導について組織的かつ継続的に取り組んでいく必要がある。その生活指導を円滑に進めていくためにも、遅刻の際に「コラコラ」から始まるような叱責は、望ましいとは言えない。

教育実践の基礎・基本

おそらく、多くの学校では、修学旅行や遠足の日、そして運動会、文化祭のある日は、通常授業の日に比べて、遅刻や欠席の数が少ないのではないかと思う。それは、生徒たちが、それだけ行事のある日を、楽しみにしているということである。逆に言えば、日々の授業内容が充実し、授業参加に自分なりの意義を生徒自身が見出せば、遅刻や欠席はそれにつれて少なくなるはずである。

また、生徒に対して「授業開始のチャイムが鳴ったときには座席について授業の態勢を整えておくこと」（いわゆる「ベル着席」）を指導するならば、教師自身もベルとともに授業ができる状態でいることを心がけなくてはならないだろう。

教師がきちんとした教材研究をし、授業開始時に教室にいるからといって、それがた直ぐに遅刻ゼロという結果に結びつくとはいえないが、少なくとも、教師が遅刻してばかりであったり、生徒主体の授業が満足に行われていない状

態では、落ち着いた授業の開始はより困難になるであろう。

　遅刻など課題のある生徒たちに対して、その学習意欲の低さや努力不足・生活態度を非難することは簡単であるが、それだけで事態が好転するとは考えられない。遅刻をはじめとした問題行動の出現は、「自分にできることは何か」を冷静に考え、自己の教育実践への省察を深める良い機会である。他人の行動や考え方を変えるのには時間もかかるし、難しいが、自分が見方や考え方を変えたり、物事への取り組み方や人との接し方を変えたりすることは比較的簡単である。そこに問題解決の糸口があることも多い。

　それは、勉学への意欲が低い生徒に対して、教師が勉強への関心を高めようと授業改革に取り組むのと同じことである。その意味では、生徒指導にかぎらず、生徒の問題行動をよりよい方向へ導くには、教師自身も自らを反省し、生徒たちとともに成長しようとする謙虚な姿勢こそが教育実践の基礎・基本といわねばならない。

アクティブ・ラーニング❶　遅刻指導のロールプレイ

　部活動の練習時の遅刻、授業のはじまりに遅れてきた時、不登校傾向のある児童生徒に対してなど、具体的な状況を想定して、「遅刻した児童生徒に対してどのように対応するか」のロールプレイを2人一組で実践してみよう。

問題演習 「ベル着席」・「居眠り防止」の指導
——ある授業参観から

〈問題〉

次のような授業風景をあなたが参観したとして、このような「ベル着席」や「居眠り防止」の指導法を行うに際して、どのような問題点に注意しなくてはならないと考えるか。800字から900字程度で答えなさい。

「ある中学で、英語担当のA先生は、授業開始時に最も着席が遅れた生徒の列を指名して、英文を読ませたり、予習した日本語の訳を発表させたりしています。そのため多くの生徒たちは、授業開始のベルが鳴る前から座席についており、自分の列の友達にも「次の授業はY先生だから、はやく席に着いて！」と、立ち歩いている生徒に声をかけています。また、居眠りをしている生徒がいると、その生徒の前後左右の生徒も指名されるので、眠りかけている友達がいると周りの生徒が起こそうとしています。ですから、他の授業に比べると授業に遅れる生徒は少なく、居眠りする生徒はほとんどありません」

〈解答例〉

まず、第一に着席が遅れがちな生徒や居眠りすることの比較的多い生徒は、他の生徒から嫌がられたり、「いじめ」られたりすることも考えられる。したがって、生徒を指名して発言等を求める場合に、それを「懲罰」と感じさせないように十分な配慮をしなくてはならない。例えば、当てられた生徒が、うまく回答できなくても「失敗は成功の元」という姿勢を明確に生徒に示す必要がある。言い換えれば、指名されて発言することは、生徒自身にとって印象深く、有意義な時間になり、それが生徒自身のためになっていることを実感することが重要である。居眠りを起こすことも、「授業を聞き逃さない」という友達間の助け合いであり、友達を励まして寝ている友達を起こした生徒に、授業後に「う

まく起こしてあげたね。あの時の説明は大切なところだから、○○さんを起こしてくれて、ありがとう」等と声をかけることで、クラスの雰囲気もよくなるだろう。また、生徒自身が「友達に声をかけて良かった」と思えれば、学習意欲の向上にもつながるだろう。

第二に、入室や着席が遅れた理由への配慮も不可欠である。例えば、「体調不良で保健室に行っていた」、「他の先生に呼び出されていて遅刻した」なども考えられる。事情がありそうな場合、例えば「元気がない」、「当てられたことに何か不満があるようだ」という場合には、「何か理由があるのではないか？」という問いかけも必要であろう。したがって「理由がある場合は遠慮なく伝えて」という姿勢も常に示す必要がある。

そして、最も大切な留意点は、「授業そのものが生徒主体の学習になっているか」という点である。たとえば、教師らの発問に生徒が次々に答えるといった生徒主体のアクティブ・ラーニングが展開されていれば、生徒自身が自分たちのために「ベル着席」や「居眠り防止」にも主体的に取り組む基盤となろう。逆に「ベル着席」や「居眠り防止」のための「指名」であれば、それは本末転倒である。授業と生徒指導を表裏一体として実践できる教育力の形成こそが教師に求められている。(約850字)

《解説》

この設問では、中学英語の授業を想定しているが、教師が生徒にいろいろと問いかけつつ、授業展開する指導計画を取り入れた授業であれば、どのような教科においても、このような指導は可能であろう。事実、私自身も高校の地歴・公民の授業において、このような対話型授業やアクティブ・ラーニングの導入を試みていたので、とりわけ生徒たちが様々なテーマで調べ学習をして発表する授業では、プレゼンテーション担当の生徒たちが授業前から準備に取り組み、それを聞く生徒たちも私の授業時に比べて、遅刻が少なかったように記憶している。

本設問の指導に限らず、そもそも本当の意味での教師のリーダーシップとは、

「教師の指示に生徒が従う」という教師主体の「指導力」ではないということを強調しておきたい。生徒主体の授業づくりや学校づくりを基盤として、生徒たちを「互いに高めあえる集団」へと導いていくという生徒主体の視点と目標設定が重要である。

本書では、本設問のように、児童生徒を主人公とする教育実践のあり方を、教職を目指す人たち自身に考えてもらうための素材を提供したいと考えている。

第 1 章 ●体罰を考える

体罰は、学校教育法 11 条によって明確に禁止されているが、体罰事案の根絶は未だ実現しているとはいえない。体罰問題は今日的課題であるとともに、歴史的問題でもある。

日本では、1879（明治 12）年に教育令で、わが国のすべての学校における体罰を禁じた。その後、第二次大戦前の数年間を除いて、百年以上も、体罰は禁止されてきた。それにもかかわらず、第二次世界大戦の戦前、戦中をはじめ戦後まで、現実には体罰が行われてきた。

2012 年 12 月の大阪市立桜宮高校体罰自殺事件を契機に実施された文部科学省の体罰調査によれば、同年度の体罰件数は 6,721 件、体罰のあった学校 4,152 校、被害児童数 1 万 4,208 人である。

筆者自身も教職課程の受講大学生に体罰に関するアンケート調査を行ったところ、全体の約 30%（有効回答数 1,233 人のうち 431 人）が何らかの体罰経験を記していた。また、「自らは体罰をされていないが校内での体罰を見聞したことのある学生」を含めると 7 割以上の学生（同前 875 人）が学校体罰の影響をうけている。（表 1-1）

表 1-1　体罰の経験と体罰肯定認識の相関

	体罰肯定	体罰否定	「記入なし」	計 (%)
体罰経験あり	199	232	0	431 (34.6)
体罰見聞あり	127	317	0	444 (35.7)
体罰経験無し	64	294	0	358 (28.8)
「記入なし」	2	1	8	11 (0.9)
計 (%)	392 (31.5)	844 (67.8)	8 (0.6)	1244

調査期間 2013 年 4 月～ 2016 年 4 月　調査対象　大学生（教職課程履修者）

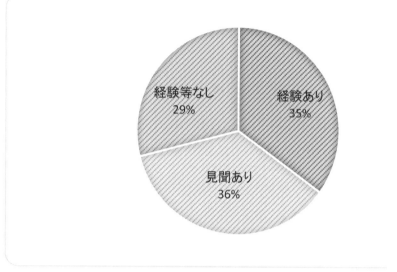

図 1-1　体罰経験・見聞の有無

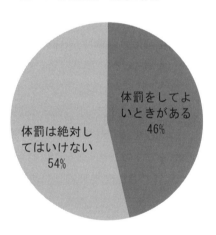

図 1-2　体罰経験のある者の体罰意識

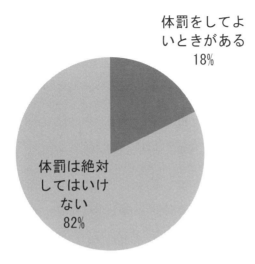

図1-3　体罰の経験・直接見聞がない者の体罰意識

　また、「体罰をしてもよい場合がある」という教師の体罰に対して肯定的な認識を示す比率を図1-2と図1-3で比較すると、「体罰経験のある学生」が46%であるのに対して、「体罰の経験・見聞がない学生」は18%であり、その差異は明らかである。
　すなわち、体罰を経験することによって、「体罰を受けてよかった」、「教師が生徒のことを思っているから愛の鞭をふるうのだ」といった体罰的暴力の正当化を意識化する傾向性がみられる。なお、「体罰の経験はないが見聞したことがある学生」も、29%が体罰肯定的意識を示していることから、実際に体罰を受けることがなくても、それを直接的に見聞することも、体罰肯定的な意識を醸成する傾向性を有する可能性が高いといえよう。
　このように、体罰の法的禁止とその横行という事実の矛盾は、こういった体罰肯定的な体罰意識の再生産と連鎖を通じて、今日なお、児童・生徒の心身に大きな被害をもたらしている。

体罰とは何か

そもそも「体罰」とは何か。その定義は、第二次大戦後まもなく、法務省から「児童懲戒権の限界について」と題された通達（法務調査意見長官回答）によって、一定の基準が示された。殴る、蹴るといった典型的な暴力行為が体罰にあたることはいうまでもないが、教育法令上は、それだけでなく、長時間の正座や直立姿勢をとらせるなど、肉体的苦痛を与えることも体罰にあたるとされている。

さらに文科省は、平成25年3月13日に「体罰の禁止及び児童生徒理解に基づく指導の徹底について」を都道府県教委等へ通知（24文科初第1269号）を発し、「懲戒と体罰の区別等についてより一層適切な理解促進を図るとともに、教育現場において、児童生徒理解に基づく指導が行われるよう、改めて本通知において考え方を示し、別紙において参考事例を示し」、「懲戒、体罰に関する解釈・運用については、今後、本通知による」と通知した。

同通知の「別紙」とは「学校教育法第11条に規定する児童生徒の懲戒・体罰等に関する参考事例」であり、以下のように、通常「体罰と考えられる行為」、「懲戒権行使の範囲内と考えられる行為」、「正当行為」の具体例を提示する。

(1) 体罰（通常、体罰と判断されると考えられる行為)
　　○　身体に対する侵害を内容とするもの
　・体育の授業中、危険な行為をした児童の背中を足で踏みつける。
　・帰りの会で足をぶらぶらさせて座り、前の席の児童に足を当てた児童を、突き飛ばして転倒させる。
　・授業態度について指導したが反抗的な言動をした複数の生徒らの頬を平手打ちする。
　・立ち歩きの多い生徒を叱ったが聞かず、席につかないため、頬をつねっ

て席につかせる。

・生徒指導に応じず、下校しようとしている生徒の腕を引いたところ、生徒が腕を振り払ったため、当該生徒の頭を平手で叩（たた）く。

・給食の時間、ふざけていた生徒に対し、口頭で注意したが聞かなかったため、持っていたボールペンを投げつけ、生徒に当てる。

・部活動顧問の指示に従わず、ユニフォームの片づけが不十分であったため、当該生徒の頬を殴打する。

　○　被罰者に肉体的苦痛を与えるようなもの

・放課後に児童を教室に残留させ、児童がトイレに行きたいと訴えたが、一切、室外に出ることを許さない。

・別室指導のため、給食の時間を含めて生徒を長く別室に留め置き、一切室外に出ることを許さない。

・宿題を忘れた児童に対して、教室の後方で正座をして授業を受けるよう言い、児童が苦痛を訴えたが、そのままの姿勢を保持させた。

(2)　認められる懲戒（通常、懲戒権の範囲内と判断されると考えられる行為）
　　ただし肉体的苦痛を伴わないものに限る。

　※　学校教育法施行規則に定める退学・停学・訓告以外で認められると考えられるものの例

・放課後等に教室に残留させる。

・授業中、教室内に起立させる。

・学習課題や清掃活動を課す。

・学校当番を多く割り当てる。

・立ち歩きの多い児童生徒を叱って席につかせる。

・練習に遅刻した生徒を試合に出さずに見学させる。

(3)　正当な行為（通常、正当防衛、正当行為と判断されると考えられる行為）

　　○　児童生徒から教員等に対する暴力行為に対して、教員等が防衛のため

にやむを得ずした有形力の行使

・児童が教員の指導に反抗して教員の足を蹴ったため、児童の背後に回り、体をきつく押さえる。

○　他の児童生徒に被害を及ぼすような暴力行為に対して、これを制止したり、目前の危険を回避するためにやむを得ずした有形力の行使

・休み時間に廊下で、他の児童を押さえつけて殴るという行為に及んだ児童がいたため、この児童の両肩をつかんで引き離す。

・全校集会中に、大声を出して集会を妨げる行為があった生徒を冷静にさせ、別の場所で指導するため、別の場所に移るよう指導したが、なおも大声を出し続けて抵抗したため、生徒の腕を手で引っ張って移動させる。

・他の生徒をからかっていた生徒を指導しようとしたところ、当該生徒が教員に暴言を吐きつばを吐いて逃げ出そうとしたため、生徒が落ち着くまでの数分間、肩を両手でつかんで壁へ押しつけ、制止させる。

・試合中に相手チームの選手とトラブルになり、殴りかかろうとする生徒を、押さえつけて制止させる。

　もっとも、これらの通知と具体例が示されたとしても、その基準を具体的事例にあてはめて考えた場合に、それが教育法上の「体罰」にあたるかどうか、さらには「何分間の起立が体罰か」等を一律に判定することは困難である。起立する場所が教室内の場合と室外とでは条件が異なるうえ、同じ運動場でも、夏の炎天下や冬の寒風中とそうでないときでは、被罰者の身体的苦痛は、かなり異なるからである。したがって、懲戒を受ける児童生徒の年齢や健康状態、その懲戒行為が行われる場所や時間、その他の環境条件を総合的に考え合わせて肉体的苦痛の有無を判定しなければ、その懲戒行為が違法な体罰かどうかをきめることはできない。前記の通達によれば、生徒指導や学習指導の一環として放課後教室に残留させることも、通常は「体罰」には該当しないけれども、「用便のためにも室外に出ることを許さないとか食事時間をすぎて長く留めおくとかいうことがあれば肉体的苦痛を生じさせるから体罰に該当する」としている

点も留意しなくてはならない。

　実際に、メディアで報じられる体罰事件や前述の講義アンケートでも、様々な体罰を大学生が経験してきたことがうかがえる。

骨折、打撲、鼓膜破裂からセクハラ的体罰まで

①小学校の体罰例

椅子の背もたれに画鋲を貼り付け…

　神戸市立小学校の4年の担任だった女性教諭は4月27日午後3時過ぎに授業で座る姿勢が悪かった児童に対し、両膝をタオルで縛り、背もたれに粘着テープで画鋲2個を貼り付けた椅子に座らせた。同日夜、保護者からの連絡でこの事実が発覚し、同教諭は、戒告の懲戒処分とされた。（産経WEST.2015.7.17）

　この他にも、同市では、2012年から翌年にかけて、神戸市の市立小学校の女性教員が授業中に私語をやめなかった2年生男児に対し、口にティッシュペーパーを押し当ててテープで貼り付け、そのまま10分間授業を受けさせた事案、前日の給食の食べ残しのパイナップル（常温で一日経った物）を食べさせた事案、1年のクラス担任だった女性教員が授業前に、クラス全員にトイレに行くよう指導し、5分後に「トイレに行きたい」と申し出た女児に、授業が終わるまで約40分間我慢するよう指示したため女児が失禁するという事案が報じられた。

　受講学生のアンケートからは、小学校時代の体罰として、素手による殴打のほか、「宿題を忘れたり、授業への集中力が低下したときに棒でたたく」など、ノート、出席簿、教科書などを用いた体罰がみられた。しかも、その多くが同級生の眼前で、一種の「見せしめ」として行われている。そのため、小学校時

20

代の担任教員等に「恐怖心をもった」、「ひいてしまった」など精神的な圧迫感を感じたと記す例が多い。

龍野市立小学校事件——自殺要因を体罰と認めた初の判例

数多い体罰事件のなかでも、1994年の龍野市立小学校体罰自殺事件の判例は、体罰を自殺との因果関係を認めたという点で、体罰判例史上特筆に値する。兵庫県龍野市（2005年市町合併によりたつの市）の小学校で9月9日、6年男児が担任教諭に、教室で運動会のポスター制作について何度か質問したことに対し、教諭は「何回同じこと言わす」などと怒鳴りつけ、児童の頭部、顔面を殴打した。児童はこの体罰直後に行方不明となり、同夕自宅裏山で自殺した。自殺直後は、担任や校長は体罰によって自殺を招いたことを遺族に詫びたが、その後、学校側は態度を転換し「自殺は学校管理外の事故死で、原因状況不明」との報告書を市教委に提出し、自殺原因は家庭問題と誤解を与えかねない言動をとるなど、不誠実な対応をとった。一方、刑事裁判では、教諭が暴行容疑で書類送検され、翌年3月に龍野簡裁が罰金10万円の略式命令を出した。また、民事裁判でも、神戸地裁姫路支部が2000年に体罰と自殺の因果関係を認め、学校設置者である龍野市に約3,790万円の支払いを命じた（神戸地姫路支判平成12年1月31日）。市は控訴を断念し、同判決は確定した。

従来の判例（福岡県立田川東高校事件（最三判昭和52年10月25日））は、自殺と体罰の因果関係を認めた例がなく、龍野市立小学校事件判決の法的意義は大きい。

しかしながら市教委はその後も、男児の自殺を「事故死」とし体罰との因果関係を頑迷にも否定していたが、2012年12月の桜宮高校事件を契機として、2013年3月に市教委幹部が遺族宅を訪れ、自殺原因を体罰と認めて謝罪し、文部科学省に提出した本件報告書を訂正するに至った。

体罰等の強圧的「指導」が突発的な児童の死を招く危険性は、これまでの事例（北九州市立青葉小学校5年男児自殺事件（2006年）、東京都大田区立中福

小学校自殺未遂事件（1978年）、高崎市立小学校くも膜下出血死事件（1965年）等）からも明らかであり、それが体罰を学校教育法が禁ずる実質的かつ主要な理由の一つといえよう。

②中学校の体罰例

部活動での体罰が頻発

　大阪府・豊中市教委は2015年12月、同市立中学3年の女子生徒に体罰をしたとして、同中学の女性教諭を減給10分の1（2カ月）の懲戒処分とした。市教委によると、6月5日の部活動の練習中、他の部員に対し、危険な行為をした女子生徒の顔に平手打ちをし、胸ぐらをつかんだ。女性教諭は「普段注意していたことを守らなかったため、指導したかった」と話しているという。女子生徒は胸に軽傷。この直後に退部した。（毎日新聞2015年12月26日地方版）

　この他、部活動でプレー上のミスや遅刻などを理由に、野球部の経験者が「バットで殴られた」とか、バレーボール部やテニス部でも「ボールを投げつけられた」などの体罰を受けている例が目立った。

　さらに、授業でも「音楽の時間に、先生が授業態度の悪い生徒を廊下に出して、説教し投げ飛ばしたら、生徒がけいれんを起こして意識がなくなり、病院搬送された」、「遅刻するとスクワットを百回させられた、できなかった生徒は、踏みつけられたり蹴られたりした」、「集団の縄跳びのとき、縄にひっかかったら、ゴム縄で打たれた」、「私語の多い生徒の口にガムテープをはり、後ろのロッカー上に正座させていた」など、中学では、授業の遅刻や教科指導のなかで、行われる体罰も、小学校と比して多い傾向がみられる。

　また、「忘れ物や遅刻で腕立て伏せを20回させられた。その教師はその後休職になった」など、教員が懲戒処分を受けた事例を記すものも少なくなかった。

③高校の体罰例

2013年桜宮高校事件は、男子バスケットボール部のキャプテンが顧問から度々体罰的暴行を受け、そのことを苦にして自殺した事案である。かつて1985（昭和60）年に岐阜県立中津商業高校体罰事件でも、国体にも出場経験のあるやり投げの女子陸上部員が顧問の体罰や暴言を苦に自殺した（岐阜地判平成5年9月6日）。部活における体罰や暴力的指導が生徒の死という最悪の結果を招く事態が繰り返されたことは痛恨の極みであり、学校教育から体罰を一掃し得なかった行政上の失策ともいえよう。

アンケートからも、「『体育コース』で『教室に入る前に腹筋百回』、生徒の態度が悪いと何十発も平手打ち」、「試合に負けて三時間ランニングで帰校」など、高校の部活動では、前述の中学と同様の体罰行為が見られるほか、名目的にはトレーニングであるが身体能力の向上とは無関係に、過剰な身体的苦痛を与える苦役を課している例がみられる。

また、「髪の毛を染めたら殴られた」、「スカート丈が短いという理由で蹴られた」など、校則遵守の意味を十分に説明もせずに、強権的「生徒指導」をとっている事例も見られた。

体罰「教育」是認の論理と心理

受講学生に対するアンケート調査でも、「体罰が許される場合がある」か「体罰は絶対許されない」かの択一式調査でも、「体罰が許される場合がある」を選んだ者が31.5％、「わからない」と未記入が0.6％であった（表1-1）。受講生がほとんど教職免許取得予定者であり、教育心理や教育法制にも一定の理解があることを前提にして考えると、「体罰が許される場合がある」と考える者が「多い」ようにもみえる。けれども、これは、特定の大学での特別な結果とは決していえない。このように体罰肯定的な回答がかなりの率であらわれるこ

とは、体罰に関するアンケート調査では、決して珍しくないからである。

体罰容認の社会意識が生む悲劇

やや時代背景を異にするものの、1900年代末の牧柾名教授らの研究は、体罰について日本で最初の総合的かつ科学的な体罰に関する生徒、教師、保護者の意識・実態調査研究であり、今日まで同調査を上回る規模と詳細かつ多角的な体罰に関する調査研究はみられない（牧柾名他編著『懲戒・体罰の法制と実態』）。それによれば、中高生を子にもつ親のうち、「多少のケガを恐れず厳しくやるべき」が4.0％、「ケガをしない程度なら賛成」が14.1％、「場合によってはやむをえないこともある」52.7％で、これらの積極的体罰賛成から消極的体罰是認までの総計は70％を越えている。

同様に教師についても、「体罰はよいが限度を越えてはならない」の体罰を原則的に肯定する教師が2.5％、「体罰はよくないがやむをえない場合もある」と消極的に是認する教師が52.1％であり、その総計は50％を越えていた。この調査の実施は1986年から翌87年であった。

同調査では、東京都、埼玉県、茨城県の中学1年、高校1年、高校2年の各学年の生徒とその生徒の親、および同地域の教師から選定され、その前年の体罰について調査したものであるが、小学6年生のときに54％、中学3年のときに59％、高校1年のときに24％の生徒が体罰の経験があると回答している。同種の調査の中では、最も信頼性の高い調査研究の1つといってよいが、それによると、児童生徒の親が「体罰の実態をどう受け止めているのか」を見てみると、一見すれば親は、消極的にせよ一定の体罰を容認しているようにみることができるが、詳細に見ると、決して「教師の体罰を認めてはいない」ことがわかる。データによると、親が自分の子どもの受けた体罰を知る方法の81％は、子どもからの報告である。当然子どもが話さなければ、多くの場合親は子どもが体罰を受けたことを知ることはできない。けれども、体罰を受けた子どもの約半数は家族に「全く」話していない。そして約三割の子どもは「時々」

しか話さないと回答している。その子どもと親の両者の調査結果を総合すると、体罰の実態を把握している親は、二割弱しかいないことになる。そのために、子どもはかなり頻繁に体罰を受けていると答えているのに対して、親は子どもの受けている体罰について「わからない」30％、「全くない」30％、「一、二度」28％という結果になっている。このように子どもと親の体罰についての認識はかなりの相違があり、体罰の実態を過小に見ている親が多く、その実態を知った時に、なお体罰を容認するかどうかは、未知数である。

　すでに、20世紀末の時点において「多くの親が一定の体罰を容認している」との推測のもとに教師の体罰を正当化することは、妥当ではなかったことになる。しばしば「親は厳しい指導を望んでいる」と言われるが、この調査当時でも、学校における指導の厳しさに「体罰を含む」と答えた親は、28％しかいない。したがって、親が教師に「ビシビシと指導してください」と言ったとしても、その言葉は体罰容認を意味していないといわねばならない。また「学校が親の代わりにしつけをしてほしいか」という質問には、親の73％が反対していたのである。現代日本における家庭教育にも課題は少なくないが、それでもなお全体としては、子どものしつけは家庭の指導に重きをおくという基本的原則は多くの父母の意識のなかに健在であるといえよう。

ペナルティ特訓で急死した有力選手——京田辺市野球部熱中症死亡事件

　学校教育以外にも、塾や大学サークル内での体罰例を講義アンケートに記載しているものがあった。学校外のクラブチームにおける「指導」にも看過できないものがある。このように、体罰問題は、まさにあらゆる教育の現場において出現しているといってよいであろう。

　2005年10月、京田辺市の少年野球チームの中学生死亡事件は、その典型である。同チームは、主として中学生を対象とする硬式野球のクラブチームで、日本少年野球連盟（ボーイズリーグ）に所属し、全国大会、関西大会等で毎年

優勝候補となる強豪チームで、プロ野球選手も何人か輩出していた。死亡した男子の体格は身長185cm、体重90kgであり、「エースで4番」を担う中心選手であった。事件当日、敗戦後にグラウンドに戻った選手たちには、ミーティングの後「投げ込み1時間、20 mダッシュ100本、30 mダッシュ100本、坂道ダッシュ200本」というペナルティ練習が科された。総監督は坂道ダッシュ時に倒れた男子を気遣う選手たちに「放っておけ。いいから寝かせておけ」と言うだけで状態の確認もせず約30分放置。異変に気づいた保護者が救急連絡し病院搬送されたが翌日男子は死亡した。

　民事裁判において、裁判所は、総監督は遅くとも男子が倒れた時点で容態を観察、状態を把握して、適切な処置をとる注意義務を怠ったと認め、総監督に対し（1）責任を認め謝罪する、（2）熱中症防止のために最大限の努力をする、（3）相当な解決金を支払うなどを内容とした和解勧告を行い、2007年10月に和解が成立した。

　なお、同チームが加盟していた日本少年野球連盟は、総監督の除名、同野球部の解散という処分を行った。処分理由は（1）過酷な特訓を長時間強行し死亡事件が発生したこと、（2）総監督の指揮は、健康管理への配慮を全く欠き少年野球連盟の精神から大きく逸脱、（3）本件特訓が連盟の規定で認められない夜間に行われたこと、（4）同野球部は選手を死に至らしめるペナルティ特訓で作り上げられ、「勝つことだけがすべて」という体質のチームの存続は今度も類似事件の危険が十分にあるためとされている。

　この事案では、死亡した男子の父母の目の前で起きた死亡事件である点にも留意しなくてはならない。同事件の担当弁護士によれば、同野球部は「総監督の絶対的な指揮監督下にあったのです。総監督の野球「塾」であり、野球に関することであれば、保護者はK総監督に逆らうことは一切できなかったのです。保護者は、総監督に刃向かうと、自分の子どもが試合から外されてしまうのではないか、高校入学に影響が出るのではないかという不安があったのです。だから総監督に逆らったり、意見をしたりする保護者は誰一人としていなかった」と記されている。

いわば、死に至るような「暴力的」特訓や体罰を黙認しない意識変革こそが、教師、父母、地域の人々に今こそ求められている。

特に、教員は、「決して体罰を行わないよう、平素から、いかなる行為が体罰に当たるかについての考え方を正しく理解しておく必要がある。また、機会あるごとに自身の体罰に関する認識を再確認し、児童生徒への指導の在り方を見直すとともに、自身が児童生徒への指導で困難を抱えた場合や、周囲に体罰と受け取られかねない指導を見かけた場合には、教員個人で抱え込まず、積極的に管理職や他の教員等へ報告・相談することが必要である」（「体罰の禁止及び児童生徒理解に基づく指導の徹底について（通知）」4項4号）とされている。

体罰是認の風潮が殺人を生む
──岐陽高校修学旅行体罰死事件

実際に、岐陽高校で起きた体罰死事件は、このような体罰肯定の風潮に流された教師の悲劇であった。この死亡事件は、修学旅行中、担任のA教諭（以後Aと略記）が、生徒指導担当のF教諭とともに、Aのクラスの生徒三名が携行禁止とされていたドライヤーを使用しているのを発見したことにはじまる。違反発覚の後、まずF教諭が生徒を正座させて、叱責したうえで、平手と手拳で数回殴りつけた。その後に、F教諭は、Aの前任校を引き合いに出して「市岐商はこんなものか」とAをなじっている。このF教諭の言動を目の当たりにしたAの心理を、裁判所は「追いつめられた気持ちにかられるとともに、自分の担任している生徒ばかりが規則に違反したことへの無念さや腹立たしさがつのった」と認定している。そして、憤激したAは、三名の生徒に対して、平手、手拳によって殴打し、足で頭部を踏みつけたり、さらに足蹴りによって壁にぶつけるなどの暴行を加えて、その三人うちの一人高橋利尚君を急性循環不全によって死亡させたのである。そして、担任のAは事件後懲戒免職処分となり、刑事裁判で懲役三年の実刑判決を受けた（水戸地裁土浦支部判決、昭和61年3月18日）。

裁判官は、体罰死事件の起きた背景として「本件は、普段からある程度の体罰が容認されていた岐陽高校内の風潮や本件直前になされたF教諭による体罰と被告人の日頃の生活指導に対する甘さを暗になじられたことにあおられた面がある」と判決文に述べている。Aについても、その判決文のなかで、平生ほとんど体罰を加えたことがなく、「温厚」な人柄であったと評価されている。そのことを考えると、いかに学校という職場環境が個人の人格を変えてしまう可能性があるのか、その影響力のすごさは恐ろしいほどである。

体罰禁止を「タテマエ」から「ホンネ」にするために

そこで、個々人としては体罰に懐疑的であるが、「体罰がやむを得ない場合がある」などの体罰是認の考え方が多数派だという認識を転換していくためには、どのような取り組みが有効であろうか。この点についても、前述の総合的調査は、興味深い結果を提示している。

まず、注目すべき点は、「タテマエとしての『共通認識』は『体罰絶対禁止』である」と認識している教師が72％に達していることである。しかも、その認識の形成過程が「校長・教頭のリーダーシップによって」形成されたと答えた教師の場合と、その形成過程が「職員会議での総意」によって形成されたと答えた教師の場合とでは、「ホンネとしても『共通認識』は『体罰絶対禁止』である」と回答する率に大きな違いがある。すなわち「校長らのリーダーシップ」によってタテマエとしての「絶対禁止」が認識されたとしても、その結果として「ホンネとしても『共通認識』は『体罰絶対禁止』である」と回答した率が34％しかない。すなわち、約三分の一しか、体罰禁止を実効性のある法規範ととらえていないことになる。逆に「職員会議での総意」によって体罰禁止が決められた場合には74％の教師が「ホンネとしても『共通認識』は『体罰絶対禁止』である」と回答している。このように「学校内の多数意見が体罰絶対禁止である」という意識は、体罰行使の抑止力として大きな意義をもつことは間違いない。この結果をみれば、体罰禁止が上意下達されるだけではなく、

28

教職員のなかで合意されていくことの重要性は明らかである。

体罰問題でディベートやロールプレイをしよう

　日常生活のなかでは温厚な人間が、殺人者に変えられてしまうようなシステム。そのようなまるでＳＦ映画のようなことが、岐陽高校で現実に起こったことに恐怖心をもった人は多かったであろう。けれども、その後一、二年の間にも、川崎市立小学校と小松市立中学校で体罰死事件が起きている。そして 1995 年には、近畿大学付属女子高校で当時高校 2 年の陣内知美さんが副担任の教師から「指示に従わない」という理由で顔などを数回殴られ、柱に突き飛ばされて、頭部を強打して死亡した。この近畿大学付属女子高校事件の加害教師は、しつけの厳しさや部活動の成果によって同校は評価されてきたのだから、体罰を含む強い指導は学校の経営安定にも貢献していたと裁判のなかで主張していた。事実、事件後も同校で体罰があり、被害者の家に「生徒の方が悪い」などの電話のほか、デマや中傷を流布するいやがらせもあり、地域の中にも根深い体罰容認意識があるといってもよいだろう。

　このような状況を改善していくためには、やはり一人一人の教育や子育てに対する意識を変え、体罰をはじめとする暴力追放への認識を深めていくほかはない。「学校」というシステムが温厚な人物を暴力的に変えるほどの影響力をもつとすれば、また同時に、その逆も可能であろう。そのことは、次の一つの社会科（公民科）授業に関する実践例からも明らかである。

　その学校では、「現代社会」の授業のなかで、一人 10 分の報告学習を実施していた。教育、福祉、平和、環境など大きなテーマはあらかじめ設定されているものの、具体的にどういう内容の報告をするかは、生徒の自由であり、その報告の手法も可能な限り自由が保障されている。したがって、プリントや模造紙等の掲示物を用意したり、寸劇や紙芝居をしたりする者もいる。その授業のなかで「教育」をテーマに選んだＭ子は、その報告内容に「体罰問題」を選んだ。その直接の理由は、数週間前に同級生のＣ美がある青年教師から皆の前

第1章●体罰を考える　29

で体罰を受けて大きなショックを受けたからであった。

　M子の報告は、新聞等の具体的な資料をプリントして提示しつつ、体罰問題の全体の状況を視野に入れたもので、非常によくまとめられていた。報告後のクラス討議では、自分たち自身の体罰経験も交えて、活発な話し合いも行われた。そうして、M子の体罰資料プリントや報告・討議学習の感想文などは、その授業担当教師だけでなく、他の教師の目にも触れ、職員室でも自然と話題になった。その時のことである。体罰をしてしまった当の青年教師の方から「その授業のプリントや感想文をよませてもらえませんか」と担当教師に声をかけてきたのである。感想のなかには、体罰賛成の意見もあり、体罰によって深く傷ついた経験談もあった。それらをすべて読み終えた青年教師は、担当教師に「僕が『もう体罰はしない』と言っていたと伝えてください」と言ったという。そのことは、報告者であるM子だけでなく、前に体罰を受けたC美にとっても「自分が叱られているとき、皆が私を心配してくれていたんだ」ということを知ったことで、大変大きな心の励みとなった。それまで休みがちで進級も危なかったC美だったが、その後クラスメイトと教師集団の支えもあって無事卒業していったのである。

　体罰禁止等の教育法の理念や理想も、それを実現するのは一人一人の人間であり、教師や生徒たちである。学校から暴力や不正、そして体罰をなくすことは、子どもたちが楽しく学べる「よりよい学校」をつくる作業そのものである。体罰による被害やそれにともなう教師の処分が昨今も報じられているが、それら

アクティブ・ラーニング❷　体罰についてのディベート

　「体罰は絶対にしてはいけない」か、それとも「体罰をしてもよい場合があるか」。前者の立場の人は、体罰絶対反対の理由や根拠を考え、「体罰をしてもよい場合」という立場の人は、「それがどのようなケースか」を考えてみよう。そして、後者の場合に、それ以外の指導方法が「ある」か「ない」か。ディベート形式で議論してみよう。

の事件を、どれだけの教師や親が自分自身の問題と感じているであろうか。また それらの事件の当事者たちは、事件になってはじめて事の重大さに気づいた のではないだろうか。教育にかかわる者として、これらの体罰事件から何を今 後の教訓として学びとるべきか、常に問い続けねばならないだろう。

第1章●体罰を考える　31

問題演習 体罰肯定論に反論する

〈問題〉

　次の文を読み、学校の教師として、このような意見にどのように反論しますか。800字程度で述べなさい。なお反論の内容として、法的根拠を明示し、その上で体罰が禁止されるべき実質的理由を述べること。

　「自分は子どものとき、授業態度が悪く、ノートを取らなかったり、漫画を読んだりしたことがあった。ある日、担任の先生が、そういう態度に対して、数発の平手打ちを自分にしてくれた。そのことがきっかけとなって、態度を改めることができたので、自分としては、体罰をしてもらったことを感謝している。実際に、中学や高校でも厳しい指導によって強いチームをつくっている顧問の先生は結構いるし、いじめなどの深刻な被害がでている場合には、ケガをしない程度の身体的苦痛を与えることによってケジメをつけさせることが必要だ。口でいっても分からない生徒に体罰は効果があるし、状況によっては体罰が認められてよい」

〈解答例〉

　学校教育法11条は「校長及び教員は、教育上必要があると認めるときは、文部科学大臣の定めるところにより、学生、生徒及び児童に懲戒を加えることができる。ただし、体罰を加えることはできない」と規定し、明確に体罰を禁じている。

　そもそも、体罰による「指導の効果」とは、暴力的な支配に服従する人間を育成することにほかならない。逆に体罰は、教師への不信感を生み、指導上の効果を失うことにもなる。指導しようとすることが正しければ、児童・生徒の発達段階に応じてさとすことが可能であり、言葉によって納得や理解を得ることを早計に断念して体罰を行うことを「教育」や「指導」とは呼べない。クラブ活動でも暴力行為が明るみに出て、そのチーム自体が試合等に参加ができなくなる事例も毎年のように報道されている。現実に、スポーツの世界でも暴力

的な指導は、決して有効とはいえない。むしろ、プロ、アマチュアを問わず選手の能力向上には、科学的で合理的な練習こそが必要である。いじめなどの事例でも、困難な事例であればあるほど教師集団と親との連携が大切となるが、その場合にも体罰的指導は、その連携や協働を妨げる原因となる。しかも、「ケガをしない程度の体罰」であっても、教師による暴力が子どもの心をどれほど傷つけるかは、決して予断を許さない。体罰後に子どもが自殺した兵庫県龍野市立小学校体罰自殺事件はその典型である。この事件では、小学6年生の自殺原因は教師の体罰であるとして、自殺に対する担任教師と龍野市の責任が明確に認定された。このような体罰行為に対する民事的、刑事的な法律上の責任に加えて、体罰による行政処分を受ける教師も毎年数百人にのぼっている。「ある程度の体罰は許される」という意識が、これまでにも体罰の横行を生じ、それが児童・生徒の死を招くなど、子どもの心身に深刻なダメージを与えてきた。その現実を直視し、体罰に依拠しない指導力を教師自身が育てなくてはならない。

《解説》

　本章の冒頭で触れた「生徒指導法」受講学生へのアンケートでは、体罰経験者がかなりの率で存在することを示した。この体罰の体験という事実は、被害者である学生に対して、相反する心理的影響を及ぼしている。一つは、被害者として体罰のもつ暴力性や非人間性を実感して「体罰を認めない」という体罰否定の意識であり、もう一方は、自己の体罰経験から「体罰の効果」を学習し、体罰肯定の意識をもつことである。例えば、ある女子学生は自分が高校生の体育授業時に教師の誤解から頭部を出席簿で殴られ「授業に出るな」とも言われて「本気で傷ついた」と記している一方で「教師が殴らないと調子にのる子も出てくるので場合によっては体罰も必要」と述べている。このように体罰体験によって、体罰の違法性やそれによる人権侵害に対する認識が弱められる傾向もみられる。

　体罰に限らず、自分の経験してきた学校での生徒指導の方法を無意識に「生

徒指導とはこういうものである」、「自分が生徒のときも問題のある指導はあったが、自分にとってはその経験をプラスにできてよかった」という認識が、無意識に体罰等の不適切な生徒指導法の受容につながることはありえよう。体罰問題については、私の「生徒指導法」の講義においては、ディベート形式で学生たちに自己の体験や考えを戦わせつつ、議論を深める機会を提供してきた。それは、自己の学習体験を、他者との議論のなかで客観的に問い直すことも、非常に意味のあることだと考えるからである。講義後のアンケートでは、この体罰の是非に関するディベートによって「体罰に対する見方が変わった」という感想がかなりみられた。

　また、教職志望者のグループで、「体罰をする場面に遭遇したらどうするか」といった場面設定で、それぞれが目撃者、加害者、被害者を演じ、目撃した教員がとるべき対応（生徒の救護、管理職への報告など）を確認し、被害者である児童生徒やその場にいた児童生徒の心理を考えることもよい学びとなるだろう。

　注意を要するのは、「単なる身体的接触よりもやや強度の外的刺激（有形力の行使）を生徒の身体に与えることが（中略）教育上肝要な注意喚起行為ないしは覚醒行為として機能し、効果がある」と一定の体罰を認めるかのような判例もある、ということである。　これは、体罰肯定の判例として、しばしば書籍等に引用される「有名」な水戸五中事件の判決文である。同事件は、中学教師がＳ君の頭部を数回手拳で殴り、その八日後にＳ君が脳内出血で死亡した事件で、父母はＳ君の火葬後に体罰の事実を知り、物的証拠が失われたなかで、他の生徒の証言から暴行行為だけが立件されたのである。そして、同判決は、Ｋ教諭の行為は「口頭による説諭、訓戒、叱責と同一視してよい程度の軽微な身体的侵害」だとし、Ｋ教諭に無罪判決を出した。このような事例から裁判所が体罰を容認したといえるかは、そもそも疑問であるし、同判決がどのような教育観に立つものか、といった批判的検討を抜きに、判例として一般化することは、生徒指導上極めて問題である。むしろ、その後の判例は体罰事件に対して厳しい姿勢を示している。解答例にも引用した兵庫県龍野市立小学校体罰自

殺事件（神戸地裁姫路支部判決、平成 12 年 1 月 31 日）は、教師の暴力を厳しく断罪し、体罰と自殺の因果関係を認め、事件後の学校や市教育委員会の対応の悪さを指摘した点は従来の判例にみられない画期的なものである。教育にかかわる人は、体罰が死をも招きかねない危険な暴力行為であることを十分に認識してもらいたいと思う。

第2章◉いじめを許さない

いじめ防止対策推進法──いじめの定義

　同法は、いじめを「児童等に対して、当該児童等が在籍する学校に在籍している等当該児童等と一定の人的関係にある他の児童等が行う心理的又は物理的な影響を与える行為（インターネットを通じて行われるものを含む。）であって、当該行為の対象となった児童等が心身の苦痛を感じているもの」（2条）と定義する。すなわち、加害者側の悪意の有無にかかわらず、「影響を与える行為」によって、被害者が「心身の苦痛を感じるもの」であれば、「仲間はずれ」や「ネット上の無視」なども、心理的圧迫などで苦痛を与える行為として、いじめに該当することを法定化したのである。

　また「インターネットを通じて行われるものを含む」としていることからも明らかなように、いじめの「起こった場所は学校の内外を問わない」。それは、従来と文科省通知と同じである。加害者側や第三者的な立場から「この程度のことは大したことはない」と思ったとしても被害者にとって「苦痛」が感じられれば、この要件にあてはまることになる。

いじめが子どもを殺す

　武田さち子氏は、109件のいじめ事例を新聞等から集め、『あなたは子どもの心と命を守れますか！』（WAVE出版、2004年）にまとめている。この事例のうち、被害者が死亡したり、加害者が報復として殺されたりして、実に84人もの命が奪われてきた。それでも、なお同書に取り上げられた事件は、

まさに氷山の一角でしかなく、その数は、その後も増え続けている。子どもの自殺については、遺書のないものも多く、原因がわからない事例が少なくないし、社会一般には知られていないいじめ事件も相当の数にのぼる。

しかも、命を絶つまでにはいたらないまでも、性的暴行や精神的、肉体的に回復困難なダメージを与える深刻ないじめ事件は多発している。

文部科学省の令和元年度「児童生徒の問題行動・不登校等生徒指導上の諸課題に関する調査結果」（令和2年10月22日）によれば、小・中・高等学校及び特別支援学校における、いじめの認知件数は612,496件であり、1校あたりの認知件数は16.5件である。

もちろん、被害者らが親や先生に申告等しなかったり、大人が気づかなかったりしたために、学校が把握できず教育委員会等への報告もされずに、暗数化した事例もあるであろうから、実際には同調査による件数以上にいじめがあると考えてよいし、その意味では、どの教育現場においても、いじめはあるといっても過言ではないだろう。

「深刻ないじめは、どの学校にも、どのクラスにも、どの子どもにも起こりうる」

「深刻ないじめは、どの学校にも、どのクラスにも、どの子どもにも起こりうる」は、1996年1月の文部大臣のいじめ緊急アピールで述べられていたことである。これは単なる理論上の可能性の指摘でもなければ、誇張された表現でもない。いわゆる「荒れた学校」や「問題のある学年」だけにとどまらず、ほとんどの児童生徒がいじめの被害者も加害者も経験するという事実を踏まえた見解といわねばならない。

この事実を客観的に示すデータは、国立教育政策研究所によって1998年から行われている『いじめ追跡調査』である。

同調査は小学4～6年と中学1～3年の同一調査対象児童をそれぞれ3年度にわたって追跡調査し、加害と被害の実態を調査したものである。その結果

の一端を見るだけでも、日本におけるいじめの実情がよく分かる（教育政策研究所『いじめ追跡調査 2013-2015』生徒指導・進路指導研究センター（2016 年））。

　中学生のいじめ被害経験については、中1の6月から中3の11月までの6回の調査時点中6回とも「週に1回以上」の被害経験があったと答えた生徒はわずか2名（全体の 0.3%）にとどまり、他方、6回とも被害経験が「ぜんぜんなかった」と答えた生徒は 200 名（全体の 31.5%）にとどまっている。すなわち70%弱の生徒は3年足らずの間に、被害経験を有したことになる。また、このような傾向は、加害経験についても同様で、加害経験の最大継続回数は5回（2名で 0.3%。6回は0名）で、6回とも加害経験が「ぜんぜんなかった」と答えた生徒は 635 名中の 217 名（34.2%）であり、被害経験と同様、多くの生徒が加害の経験を持っている。すなわち、中学3年間の追跡調査からは、特定の児童生徒に偏ることなく、多くの生徒が被害者と加害者の立場を入れ替わりながらいじめに巻き込まれている実態が分かる。

　同様に、小学校では、4年から6年の6回とも「ぜんぜんなかった」と答えた児童の割合は、被害経験では 644 名中の 74 名（11.5%）、加害経験では 644 名中の 138 名（21.4%）となり、中学校と比べても、3年間でより多くの児童がいじめに巻き込まれており、いじめ問題を一部の子どもだけの問題と見なすことの誤りがより明確となっている。

　国立教育政策研究所による追跡調査で繰り返し確認されてきたのは、「暴力を伴わないいじめ」の典型である「仲間はずれ、無視、陰口」は、「一部の特定の児童生徒だけの問題ではなく、被害で見ても加害で見ても大きく子供が入れ替わりながら進行し、大半の児童生徒が被害者としても加害者としても巻き込まれる実態」である。そして、このような、広範な児童生徒を巻き込むいじめ問題が深刻化するかどうかは、いじめ問題に対して、教師をはじめとする大人がどのような解決策を備えているかにかかっている。だからこそ、いじめ問題はいつ顕在化しても当然という前提で、これまでの悲劇的ないじめ事件を教訓として、学校としても教師個人としても、いじめを指導する態勢と心の備え

をしておく必要がある。

　ここでは、実際に起こってしまった兵庫県立神戸商業高校一年生石坂早佑理さんのいじめ自殺事件をケーススタディとして検証し、さらに社会的関心を集めた大津市立中学校いじめ自殺事件の事故報告書も手がかりにしつつ、教師がどのようにいじめと関わっていくべきか、考えてみたい。

もう限界やねん
──遺書にみる被害者の気持ち

　石坂さんが亡くなったのは、1996年1月8日。3学期の始業式に向かう通学途上に電車に飛び込んで自らの命を絶った。ここに引用した遺書は、自殺から10日後に母親が早佑理さんの部屋で発見したものである。(望月彰・土屋基規編著『いのちの重みを受けとめて』参照)

　突然ごめんなさい。私が死のうと思った理由は、いじめです。私をいじめたのは、A、B、Cの3人です。

　はじめは、すごく仲よかったけど、それがくずれはじめたのは、夏休み前くらいからです。ひどくなったのは、あの夏休みのことがあってからです。私は3人から「あのときさーchanのおかあさんが親にTELせんかったら、うちおこられへんかったのに。」と何回もいわれました。私はずっと帰ろうと思っていたのに、とくにAがひきとめた。それはわたしにおってほしいからじゃなくて、ヘボやと思われたくないと思ったからだと思います。

　いじめといっても、暴力じゃなくて、言葉とか、すぐパシリに使ったりすることです。いつも、「～やって。」といってきて、「いや」といったら、「なんどいこいつ。」とかいうし、Aが「～して」とCにいうとぜったい「さーchanして。」といいます。で、「いや」とこたえると「それをするんが石坂やろ。」とか、「もうええからやって。」とおこります。なんでもいやなことはおしつけて、カラオケいったりするのもきっと、本当はさそいたくないけど1人でも多いほうがわりかんにしたら安いからといってさそっているのだと思います。

　その証こに私がうたおうと思って入れた曲が最近の曲だったり、誰かのすきな曲だったりしたら「あーうたおうと思っとったのに」とか「あーこれ私の曲。とるな。」とかいっ

て横からわりこんできたりします。でムカツクからその子がうたわへんような曲入れたら、「こんなんうたっとってたのしい？もうやめたら。」とか、「しけてもたやん」とかいいます。いっつもいやな役は私にばっかりおしつけて。すぐに私のものとるし。とったらとったでジョーダンやったらすぐかえしてくれるのに、この３人はかえさへん。しかも、私がとられたん気づいてなかったら、そのまんまだまって何もいわへんし、気づいたら気づいたで、とりかえしよったら、「やめてー。」とかいうし。人のつごうも考えんと、「何時に来て」とか、「今から来て」とか無茶ゆって「無理」っていったら、「ええから来て。じゃあね。バイバイ。」といってかってにＴＥＬきったりする。で、こっちが無理っていうのをおしきろうとしたら、「ええわ。」ガチャンとおこったふりみたいなかんじでおおげさに音だして切ったりする。

　もう、書ききれんぐらい、いっぱいイヤなことしたり、おしつけたり、利用するだけして、必要ないときはムシ。

　Ｃはたぶん気は弱いくせにうしろにＡがおると思って強気になってくる。宿だいでも私にたのんで「無理かもしれへん」といったらいったんＴＥＬきって、またかけてきて「Ａもたのんどうから」といったり。中学んときはひっこみじあんやったこと私のお母さんがＣのおかあさんからきいたって教えてくれたときはめっちゃおどろいた。

　実をいうと家出したのは学校いきたくないっていうのは、先生もやけどあの３人がおるからやねん。本マのこといわへんかったんは、３人に家出たすけてもらうためやってん。

　おかあさん本マごめんな。お父さんごめんなさい。

　お兄ちゃんもおばあちゃんもおばちゃんもごめんなさい。

　つらくてもうたえられへんねん。今まで何回か死のうかと思ったけど、たえてきてん。でももうたえられへんねん。

　もう限界やねん。心配ばっかりかけてごめん。相談しようかとおもったけど、心配かけたくなかったし、できへんかってんごめん。

　この遺書の他に、自殺時に所持していた家族宛の遺書には、「突然こんなことになってごめんなさい。私はもうＡ、Ｂ、Ｃのいじめにたえられません。暴力じゃなくて態度のいじめです」の書き出しで、いじめの事実が書き記された遺書も残している。そして、自室からは、「３人へ」と題された文も見つかっている。それには「Ａ、かなり命令したな。私はあんたの家来ちゃうねん。今では友だちとも思わへんわ」とＡら加害生徒に対する気持ちが綴られている。

自殺は防げた

これらの遺書を一読すれば、石坂さんが「友だち」からの心無い言動によって、どれほど深く傷つけられていたかが非常によくわかる。しかし、このような遺書の存在にもかかわらず、学校が教育委員会に提出した事故報告書は、「3人から話を聞いたところでは、石坂早佑理に対して「いじめ」をしたという心当たりはない」、「親しさのあまり石坂早佑理の心に傷をつけるような言動があったのではないかと思われる節もある」と記すのみで、石坂さんが命がけで訴えたいじめの事実に目を向けたものとは到底いえない。このような学校の姿勢に、早佑理さんの両親は事実の究明とこのような事件が二度と起こらないような対応を求めて兵庫県弁護士会の人権擁護委員会に人権救済の申し立てを行った。その結果、同委員会は学校に対して警告書をだし、県教委にも同校への再調査を指導することなどの要望書を出している（事故報告書、人権救済申し立て書は望月彰・土屋基規編著前掲書に所収）。

　自殺前後の県立神戸商業高校の対応には、いじめが生徒の心身に重大な影響を及ぼし、時には生命にもかかわる深刻な問題であるという基本的認識が欠落していたといわざるをえない。遺書のなかにも「学校に行きたくない理由には先生もある」という主旨の言葉も見受けられる。この一言をみても、同校の早佑理さんにかかわった教師が彼女の救いになるどころか、加害者的な側にたっていると感じさせる何かがあったのであろう。

　事実、学校はいじめの実態を知ることができたし、早佑理さんの自殺前に彼女に救いの手を差し出すチャンスは、あったのである。それは、まさに彼女が自殺した始業式の日、二学期末に提出された英語の課題ノートが早佑理さんの机上に返却のために置かれていたが、その早佑理さんのノートには、教師の検印マークの裏面一ページ全面に蛍光ペンで「ＤＥＡＲ　ロデカ　デコピカ」「いちびって　しっこ　もらすなよ」「くさーい」「くさー　くさー　よらんとって」などの言葉と唇の絵が大書されていた。早佑理さんは、学校を休んでいたＡに

このノートを貸していたが、Aが早佑理さんにノートを返す際に、彼女の面前で3人でこのひどい落書きを書き込み、さらに「このまま出せ」と強要した。裏からも透けて見えるほどの落書きであり、当然提出前に書かれたものである以上、英語担当教師は、少なくとも検印を押すときにこのような非道な殴り書きをいじめとして気づくべきであったし、提出日の12月13日から二学期終業式までの間にもいじめに対する指導は可能であったといえる。少なくとも、担当教師らにいじめに関する基本的な認識さえあれば、始業式当日までには担任や生徒指導担当教員らとの情報交換と対応の協議や保護者への連絡や本人への「どうしたのか」という問いかけも行えたはずである。しかし、自殺するまでその明確な予兆にも気づかず、あるいは彼女の苦しみを理解しようともせず、そのことがますます早佑理さんを追いつめていったのである。

いじめ指導の三原則
──するを許さず　されるを責めず　いじめに第三者なし

　いじめに対する指導指針として、神戸市の中学校生徒指導協議会が提起した「①するを許さず、②されるを責めず、③第三者なし」といういじめ指導の三原則は、弱い者いじめに対する基本的な指導の視点を示すものとして、教育実践上の評価も高く、参考となる。

　「するを許さず」とは、いじめは、他人の生きる権利を脅かすものであり、絶対に許されない、という姿勢を教師が堅持するということである。

　「されるを責めず」とは、いじめの指導において、被害者である生徒に対して「あなたも悪い」は禁句である、ということである。いじめを正当化することにもつながり、また、それでなくとも、死をも考えるほどつらい思いをしている被害者をさらに追いつめる一言にもなるのである。

　「第三者なし」とは、自分は関係ないといった児童・生徒の存在を許してはならないということである。学級やクラス全体の問題としてとらえることが必要である。「傍観者もいじめの加担者である」ことを理解させる努力が重要で

ある。

そして、いじめの早期発見の 10 のチェック・ポイントとして、同協議会は次の 10 項目を具体的に掲げている。

① はっきりしない理由で、欠席、遅刻、早退をする。

② いつもの友人と遊ばなくなり、一人でいることが多くなる。

③ 生気がなく浮かぬ顔で、いつもと様子が違う。

④ 給食を残すなど、食欲がなくなる。

⑤ 衣服に破れや汚れが見られたり、顔面や手足にすり傷や打撲のあとが見られたりする。

⑥ 教科書、ノート、机、いす等が汚されたり、落書きをされたりしている。

⑦ 学習時間中に教師の質問に答えるとき、まわりの者がやじや奇声を出す。

⑧ クラス役員などを突然やめたいと言いだす。

⑨ 保健室へ出入りすることが多くなる。

⑩ 教師に何か相談したい素振りで、職員室前をうろうろする。

このような指導指針はすでに石坂さんの自殺前に公表されていたものであり、そのような視点で石坂さんのまわりの教師が生徒たちを見守っていれば、自殺という最悪の結末を避けられた可能性は高いのである。

いじめは必ず解決できる

いじめの解決の第一歩は、いじめの実態をまず知り、被害者である生徒の声を聞くことである。単に話を聞くといっても、そのいじめがつらいものであればあるほど、すぐにはいじめ行為の核心部分について語れないかもしれないし、自分がどれほど傷ついているかを的確に表現できないかもしれない。そういう可能性も考慮しつつ、事実を引き出すような聞き方が求められる。しかも、いじめ問題は、そのつらさや悲しさを聞くだけでは決して解決にはならない。したがって、第二に被害者救済のための具体的な方策がとられなくてはならない。必要に応じて、カウンセリングや精神科療法も併用される場合はあるが、注意

しなくてはならないのは、それによって被害者の側に働きかけて、考え方を変えさせようという対応では真の解決にはならないということである。

大津市立中学校いじめ自殺事件の教訓とは

　この事件は、2011年10月11日に、滋賀県大津市の市立中学校2年生の本多広樹さんが同級生によるいじめを苦に自宅マンションから飛び降り自殺した事件である。

　この事件をめぐっては、被害生徒の保護者による被害届を警察が3度にわたって不受理とし、学校が当初いじめ行為の存在を認めず、市教委も主体的に事実解明や調査を行わなかったことから、学校、警察、市教委の事後対応にも大きな課題を残した。

　『大津市立中学校におけるいじめに関する第三者調査委員会の調査報告書』(2013年) は、第1部「自死に至るまでの事実」として、「今回の事案の特徴の一つは、いじめが当該クラスでの「仲良しグループ」から「いじめグループ」への変化のなかで起きていたことである。このような特徴は、「いじめを見えにくくしていた」としつつ、担任、学校、市教委の対応について、「本件では、複数の生徒が、いじめではないかと担任に申告し、また、複数の教員がAとB、C間に暴力における一方的な関係があり、いじめの可能性があると判断していた。さらに複数の教員から担任や学年主任にも情報が上がったにもかかわらず、最後の最後まで学校は全体としては、いじめとしての認知をしなかった。問題は、情報が担任と学年主任に留まり教員全体で共有できず、有効な対策を取ることができなかったということである。学校組織が有効に機能していじめの事実を知らせる情報が学校全体において共有されなかったことは重大な問題と言わなければならない。事実究明及びその真摯な検討を怠ってきた学校・教育委員会の責任は大きいと言わなければならない」と問題点を明確に指摘した。

　そして、第2部「事後対応」においても、「いじめと自死の関係への解明作業を事実上放棄」した学校と市教委の対応が厳しく批判されている。

第3部「提言」では、「教員への提言」として、「いじめ問題で教員に求められるのは、子どもの心の叫びを読み取ること」、「一人で解決しようとするのではなく、周りの多数の教員の力を合わせることも重要。協力協働の教育現場を作って欲しい」と述べられている。

次に「学校への提言」では、「学校とは、子どもにとって最も安全な場所で成長する場でなくてはならない。その意味で、いじめ問題は学校の中で解決しなければならない。生徒の側から見た教育相談は、先生に「相談したい」と思った時が一番旬の時であると言われている。学校職員であれば誰にでも相談できるようにし、生徒が話したいと思える取り組みを考え出してはどうか。多くの子どもたちが「生徒に向き合う時間を作って」と答えている。この声に向き合うか否かが、学校再生への道の岐路である。また、学校づくりの全体構想にいじめ克服という大テーマが位置付けられなければならない。「実践を続けることで、その学校にいじめを起こさない理念・伝統・文化が生み出される」とする。

「教育委員会への提言」では、「今回の事件における教育委員会への世論の非難は、『市教育委員会の隠蔽（いんぺい）体質』という一点にあった」、「常に市民と地域に開かれ、支持・信頼される教育行政を目指すべき」と指弾されている。

これらの事故報告書が提示する大津市立中学校いじめ自殺事件の教訓は、教師が一致していじめ問題に取り組み、子どもや親からの相談に対してていねいに対応できるシステムを構築することである。そのような生徒一人一人の声を拾い上げ、いじめに関わる生徒の立場にたった生徒指導を組織的に取り組むことによって、問題解決の展望が得られることを示唆している。

そのような学校の取り組みによってもなお、いじめにより児童生徒の心身の安全が脅かされるようなおそれがある場合には、いじめられている児童生徒をいじめから守り通すために必要があれば、本人・保護者の意向によって、児童生徒の就学すべき学校の指定の変更や区域外就学も、近隣諸学校とともに検討・考慮されねばならない。

第2章◉いじめを許さない　45

　いじめの状況が一定の限度を超える場合には、いじめる児童生徒に対し出席
停止の措置を講じること、弾力的な学級編制替えや緊急避難としての欠席も、
文部科学省通達（「いじめの問題に関する総合的な取組について」平成8年7
月26日386号）によって認められている。

　このように考えれば、被害者を守るための様々な措置が教育法令上も許容さ
れており、保護者との協力を積極的にすすめながら、関係機関や近隣の学校と
も連携をとりつつ、抜本的な措置や継続的な指導によって、いじめの危害から
子どもを守り通すことは可能である。また、そのような確信を教師がもちえて
こそ、被害者である子どもたちに、「教師を信頼していじめを相談せよ」とい
うことができるであろう。

アクティブ・ラーニング❸　いじめのケーススタディを寸劇で

　いじめは、誰もが加害者・被害者になりえる問題である。自分たちの「い
じめ体験」やニュースになったいじめ事件をもとに、グループで、自分
たちが取り上げたいじめのケースについて、「教師はどのような対応をと
ればよいか」を考え、その指導方法を寸劇にして、表現してみよう。

46

問題演習 いじめ指導の基本方針

〈問題〉

「いじめられている子どもの指導にあたって配慮すること」を述べた次の文章のうち、内容が適当でないものを選びなさい。

① いじめられている子どもの「心の痛み」を共感的に受け止める。

② いじめの状況が一定の限度を超える場合には、いじめられている子どもを守るために、いじめる子どもを出席停止にできる。

③ いじめられる子どもにも問題がある場合もあるので、いじめられている子どもに対しても指導する必要がある。

④ いじめが解決した場合でも、いじめられた子どもが卒業するまで、継続して十分な注意を払う。

⑤ 家庭とのよりよい連携が図れるよう、保護者との信頼関係の確立に努める。

（千葉県・千葉市 （改））

〈解答〉

③

《解説》

いじめ指導の基本原則は、まず「いじめを許さない」という、いじめられている子どもの視点に立った指導であり、死をも考えるほど苦しみ追いつめられている被害者を「決して責めない」という姿勢である。その意味で③の文については、そのような指導理念に反するものであり、誤りである。たとえ教師の側からみていて、いじめられる子どもにも問題があるように感じられたとしても、それゆえにいじめられるべきものではないし、誰にも人をいじめる権利などはありえない。被害者である子どもを責めるのではなく、子どもに対する共

第2章●いじめを許さない　47

感的な理解を深めるとともに、学校内での教職員の相互理解を広げていくことが大切である。また、いじめの傍観者もいじめの加担者であり、決していじめの発生と無関係ではない。いじめ解消に向けての学校全体あるいは学級全体としての取り組みを進めていくことが重要である。なお、教師集団による継続的な配慮や注意を払うべきこと、様々な機会を通じて家庭との連携をはかることは、いじめ問題の解決とその予防にとって大きな意味があることはいうまでもない。したがって、①の「共感的な受け止め」、④の「継続的な注意」、⑤の「保護者との信頼関係」はいじめ問題に限らず、円滑な生徒指導にとって基本的内容であり、いずれも正しい。②は、文部科学省通達「いじめの問題に関する総合的な取組について」の内容である。同通達では、その他に「区域外通学」、「学級編制替え」、「特別に別な場所での学習」などを弾力的に行うこととされている。

第3章◉生と死をどう伝えるか

　警察庁の自殺統計（以下「自殺統計」という。）によれば、日本の自殺者数は、1998（平成10）年以降、14年連続して3万人を超える状態が続き、特に2003年には3万4,427人と最悪の結果となった。その後自殺対策基本法（平成18年法律第85号）が成立するなど自殺対策が図られ、教育現場における自殺予防教育も少しずつ進展してきた。また、求人倍率や企業収益が好転するなど経済状況の改善もあって、2010年以降自殺者数は減少を続け、2020年には2万4,025人となった。これで、自殺者数は、急増前の1990年代前半頃の水準まで減少したことになるが、それでもなお自殺者数は、毎年2万人を越え、自動車事故死（2020年は2,839人）の何倍もある。その意味では、自殺は交通事故死よりも、はるかに多くの命を奪い続けており、身近に潜む危険であるといってよい。

表3-1　10～29歳の児童青年の死因（1～3位）

年齢	第1位	第2位	第3位
10～14歳	自殺	悪性新生物	不慮の事故
15～19歳	自殺	不慮の事故	悪性新生物
20～24歳	自殺	不慮の事故	悪性新生物
25～29歳	自殺	悪性新生物	不慮の事故

　　資料：厚生労働省「令和2年（2020）人口動態統計月報年計（概数）の概況」統計
　　　　表 第7表より

　そして、児童期から青年期の死因と自殺の関係についてみると、10歳代から20歳代にかけての主要な死因は自殺である。すでに1章と2章では、体罰やいじめを原因とした自殺事件をとりあげてきたが、そのような個々の問題への対応も含めて、子どもの自殺防止は、極めて重要な政策課題である。

また、自殺総数に占める割合は、中高年齢層が大半を占めるが、それは同時に子どもが保護者等の家族を失うことを意味する。このように、教育問題としての自殺には、単に子ども自身の自殺にとどまらず、家族や友だちなどの自殺による深刻なダメージにどう対応するべきかという課題も大きい。本章では、そのような視点から「死」と「生」の教育課題を考えてみたい。

　そもそも教育の究極的目標は、子どもたちがよりよく生きる力を育て、ひいてはその力を健全な社会の進展のために生かせるように、教え導くことである。命を大切にし、自殺を防止する努力は、生徒指導にとって最重要課題といわなくてはならない。

　ここでは、まず、子どもの自殺誘引となる情報環境を検討したうえで、『自殺マニュアル』本を反面的な教材に、「生と死」をテーマとした自殺予防的な指導の実際を紹介し、さらに生徒から「死にたい」というような相談をうけた場合の生徒指導について基本的指針を示すとともに、広い意味での「生と死」にかかわる教育への展望を示してみたい。

子どもの自殺原因

　文科省の「令和元年度児童生徒の問題行動・不登校等生徒指導上の諸課題に関する調査結果」によると、1974（昭和49）年以降の児童生徒の自殺者数は、1979（昭和54）年、1986（昭和61）年と1998（平成10）年に3回のピークを経つつ全体的には暫減傾向にあったが、近年の増加傾向は憂慮される。（図3-1）

　また、「自殺した児童生徒がおかれていた状況」は、「家庭不和」と「父母等の叱責」がそれぞれ、10.4％、9.8％。「精神障害」が9.1％である。学校に関する要因としては「学業等不振」が5.7％、「進路問題」10.1％、人間関係に関して「友人関係での悩み（いじめを除く）」が3.8％、「いじめの問題」が3.2％となっている。このように、学校に関わる要因は、家庭や精神疾患とともに、自殺企図の主要な要素となっている。さらには、家庭問題や精神疾患の惹起に

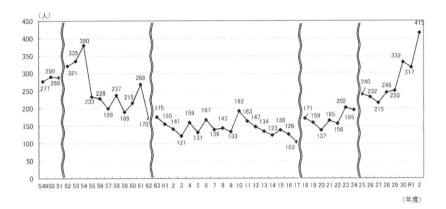

図3-1 児童生徒の自殺者数（学校から報告のあったもの）の年次推移

（注1）昭和51年までは公立中・高等学校を調査。昭和52年からは公立小学校、平成18年度からは国私立学校、平成25年度からは高等学校通信制課程も調査。
（注2）昭和49年から62年までは年間の数、昭和63年以降は年度間の数である。
出典：文科省「令和2年度児童生徒の問題行動・不登校等生徒指導上の諸課題に関する調査結果」（2021年）124頁。

際しても、児童生徒と日常的に接している学校教員が早期発見と組織的対応をとることが自殺の防止に効果的であることは言うまでもない。その意味で学校が児童生徒らの自殺予防に果たすべき役割は大きい。

しかし、自殺の予兆を具体的に把握することは、容易とはいえない。なぜならば、前述の調査でも、原因不明を含む「その他」が半数以上を占めているからである。それは、子どもの自殺の原因は、他者から理解しにくく、突発的であったり、親や教師からみて予測困難であったりするため、それに対する対処も難しい面があるということになる。

実際に、1986年と1998年の自殺のピークは、若者に人気のあった歌手の岡田有希子、X－JAPANのhideの自殺が引き金となって、同様の手段による青少年の自殺が増加したことによる。そのほかにも、友だちの自殺後に、後追い自殺のようなかたちで同一地域や学校で生徒の自殺が連鎖的に生じた事例や同性の友達同士で同時に自殺した例もある。このように、青少年は、誰かの

自殺や自殺未遂などをきっかけとして「群発自殺」が生じやすい危険世代であり、不幸にして身近で自殺行為があった場合には、指導上も特段の注意が必要である。

「自殺系サイト」と『完全自殺マニュアル』――「命の重み」を考える指導

『完全自殺マニュアル』という本が出版されたのは1993年である。出版当初は、この本がベストセラーの上位に押し上げられるほど話題となった。そして、残念なことに、この本を見たり、所有したりしていた生徒の自殺が何度も報じられた。

　同書について、当然、その内容が物議をかもした。子どもの自殺増加を懸念する声もあったし、逆に「本書は自殺おすすめ本ではなく、それを抑制するための逆説本」と評するもの（「土居宏太郎のおすすめ六冊」西宮市職員生協だより平5年冬号）まであり、受けとめ方は様々であったが、その後も、自殺や殺人に関しては、書籍よりも、インターネット上の「自殺系サイト」での情報が飛びかい、ネットを通じて知り合った自殺志願者が集団自殺する事件がたびたび報じられた時期もあった。このような事態に対して、自殺予告のネット上の書き込みに対して、自殺予告者の情報をプロバイダーやサーバー運営側が警察に開示するというガイドラインが2005年に策定された。これは、電気通信事業者4団体（電気通信事業者協会、テレコムサービス協会、日本インターネットプロバイダー協会、日本ケーブルテレビ連盟）が総務省や警察庁と協議して策定したもので、ウェブ上の掲示板だけでなく、メールも対象として、自殺予告の書き込みがあれば、その発信者情報を警察に通報することとした。また、自殺を勧めたり、自殺を幇助するような情報提供をするサイトの管理者には警察からの指導も行われている。

　こうした施策は、一定の状況改善をもたらしているが、それでもなお、サイト管理者が不在状態であったり、管理が不十分なサイトでは、サイト掲示板の

利用者間の交流のなかで、自殺の誘引や自暴自棄な行為を招く危険のある「自殺系サイト」は膨大な数に上る。

このような情報社会のなかで、自殺等の情報から子どもを遠ざけようという「臭いものにフタ」式の対応は、有効ではなくなっている。現実に、子どもたちの多くは、マスメディアやネットから自殺や未遂に関する情報を得ているし、そのような情報と無接触に生きていくことはほとんど不可能である。このような現実を反映して、学校教育のなかでも、様々な場面で「生と死」についての学習が実践されている。私のこれまで勤務してきた学校でも、教科指導や学級活動などのなかで、「性」と「生」を結びつけて取り上げるなど多様な方法で取り組まれてきた。さらに、近年では総合学習の導入にともなって、平和、環境、人権といったテーマとも関連させながら、「生と死」を学ぶ教育活動が進められている。

「生と死」を考える指導

私自身も、自分の教え子が大学進学後に自殺したことを契機として、「生と死を考える」のテーマ学習に取り組むことを決意し、高校公民科の「現代社会」や「政治・経済」という科目の教育指導のなかで、「生と死」を取り上げてきた。

その内容は、生徒自身が「生と死」に関するテーマ、たとえば、安楽死・尊厳死、脳死、中絶問題、死刑存廃問題、戦争や犯罪による殺人など「死」に関する事柄について、調査・研究し、それをクラスで発表・報告し、さらにその発表・報告された内容について生徒たち自身が討議するという生徒主体の報告討議形式の授業をおこなってきた。

そして、その目的は、「生と死」という統合的な一つの課題として生徒に考える機会を与えることであった。

具体的には、「政治・経済」または「現代社会」の科目で、授業開始の年度当初に、クラスの生徒たちを15グループ程度の班に分け、それぞれの班に「環境」、「生活」、「国際平和」、「経済問題」、「福祉」、「教育」、「医療・健康」など

の大きなテーマのなかから一つを選択させる。その大きなテーマのなかの一つに「生と死」があり、そのテーマを選択した数人の生徒たちは、さらに「生」や「死」にかかわる研究テーマを絞り込んで、報告のための準備を行うのである。生徒たちは、様々な視点から「生と死」を考察し、討論し、自分自身の考えを深めていく。たとえば、過労死に関する報告を聞いたある生徒は「私の父は企業につとめるサラリーマンで、毎晩のように遅く帰ってくるし、実際に父の会社の人で、付き合いで飲みにいき、酔って階段で足をすべらせ頭を打った人がいます。今ではずっと植物人間です。日本人は『働きすぎ』とよく言われますが、日本に生まれて、その環境に育ったら働きすぎかどうかなんて感じることはできないと思います。私が昨年オーストラリアにホームステイに行ったとき、その家のホスト・ファーザーは、夕方五時ぐらいには必ず家にいたし、朝も小学生の子どもを送ってから仕事に行っていたので、労働時間は私の父に比べるとずっと短かったように思います。今の日本には見えにくい問題がたくさんありすぎます」と感想をまとめている。このような意見も紹介しながら、「死」から「生」を考える機会をつくり、自らの生き方を考えることが、この「生と死」をテーマとした報告学習の目的となっている。「自殺問題」も、各クラスの報告担当生徒がしばしば取り上げるテーマの一つである。そして、ここでも、自殺統計や実例の紹介とともに、よく討議の検討材料にあげられたものが、前述の『完全自殺マニュアル』という本である。生徒たちは、同書が「生きるなんてくだらない」とか「イザとなれば死んじゃえばいい」（同書95頁）と書き記していることに対して、「友だちが困っている時や苦しんでいる時に、『死んだらいい』なんて言うのは友達じゃない」、「死ぬなんて、この本にかいてあるような生やさしいもんじゃない」とレポートし、何人かのレポーターは、電話による自殺防止に取り組んでいる『いのちの電話』にも問い合わせて、「どのように相談にのれば、死にたいと思っている人を救えるのか？」ということを聞き、発表してくれた。

「死にたい」と相談されたとき

　そのレポートのまとめは、つぎのような内容であった。

　「『死にたい』と相談してこられたときには、もうその相談者は『生きよう』とする方向へ足を踏み出しているのだから、そのときの気持ちを受け止めてあげればいいのですよ。相談者の抱えている問題は簡単には解決できないから悩みも深いのであって、それを『具体的に解決する方法を見つけてあげなくてはならないのに、良い方法が見つからない』と聞き手の方も重荷に感じてしまうとか、『頑張って生きるように説得しよう』と相手を説教しようとすると、相談者は自分の悩んでいることを十分に話すことができなくなり、かえって相談者を追いつめることにもなります。まず、『私に相談してくれて、ありがとう』という気持ちで、今のつらい気持ちを受けとめてあげること、つまり、あなたに相談することで『生』の方向へ一歩踏み出した相談者の話を、まず聞いてあげることが一番大切なのですよ」

　このような自殺防止に専門的に取り組んできた専門家のアドバイスは、教職にかかわる人たちにとっても大いに参考になるが、それだけでなく、このような「生きる知恵」こそが、死への誘惑を受けやすい青少年世代とそれらの世代に接するすべての人々にとって、『自殺マニュアル』や「自殺系サイト」の「悪魔のささやき」に対抗する術（すべ）となるであろう。

「ＴＡＬＫ」の原則

　教師にとって、生徒から様々な相談を受けることは、いわば日常的である。そして、場合によっては、それが「死にたいほどつらい」という訴えであることも、少なくはない。そのようなときにこそ、相談を受ける立場の教師が、生徒に対して安心感を与えられるような「上手な聞き手」としてのコミュニケーションの力を持つことが、まず相談の第一段階として大切である。

では、実際に、このような自殺の淵にある生徒への対応の原則は何か。それが、「ＴＡＬＫ」の原則である（文科省『教師が知っておきたい子どもの自殺予防』2009年より）。

(1) Tell：言葉に出して心配していることを伝える。
(2) Ask：「死にたい」という気持ちについて、率直に尋ねる。
(3) Listen：絶望的な気持ちを傾聴する。
(4) Keep safe：安全を確保する。

そして第一に、相談を受けた教員が留意すべき点は、「自殺の危険の高い子どもをひとりで抱えこまないこと」である。子どもが「他の人には言わないで」などと訴えてくると、自分ひとりで見守っていくというような対応に陥りがちであるが、自殺のリスクは一教員が抱えるには心理的にも重過ぎるし、「ひとりで的確な対応は行えない」と考えるべきである。したがって、子どものつらい気持ちを尊重しながらも「保護者にどう伝えるか」を含めて、他の教師、たとえば相談学年担当教員、教育相談担当教員・養護教諭・スクールカウンセラーなど、多様な支援と共通理解を得ながら対処すべきである。

第二に、「生徒との関係を急に切らない」ということが重要である。自殺の危険の高い子どもに親身に関わっていると、しがみつくように依存してくることも少なくない。昼夜分かたず関わっていたため、対応する教員の方が心身ともに疲れてしまい「関係を切ってしまいたい」といった気持ちになることがあるが、このような態度が生徒を不安にさせ、自殺のリスクを高めることは言うまでもない。これは、自殺のリスクのある生徒と友達関係にある生徒にも、同様の心理的負担が高まり、関係途絶が生じる場合がある。そのような問題を事前に予防する意味でも、危機にある生徒以外の生徒も含めたクラス、学年全体を対象とした「自殺予防」指導、すなわち、相談されたときの「ひとりで抱え込まない」などの心得を学ぶ機会が大切である。

第三に、精神疾患のおそれのあるケースや手首自傷（リストカット）への対

第3章◉生と死をどう伝えるか　57

応である。うつ病等の精神疾患や自傷行為は、将来の自殺の危険性を示すサインであり、あわてず、かつ真剣に対応して、医療機関やカウンセラーなど関係機関につなげることが必須となる。そのためにも、本人の不安や苦しい気持ちを認めつつ、生徒と学校との継続的な信頼関係を築くことが重要となる。

　したがって、相談を受けてすぐに問題解決の方法が用意できなくとも、「ともに考え」、「ともに悩む」姿勢を示すこと、そして生徒の家族や学校内外の連携を生かして対応することが、生徒の心の闇をはらし、命の安全を確保する重要な一歩となる。

　児童・生徒、そして子どもからみて、最も身近な大人は、親や教師である。その大人たちが、明るく、楽しく、そして元気に、日々暮らしている姿を示すことは、まさに子どもたちにとって明るい未来を期待させるものとなるだろう。人も動植物も命あるものは、すべて必ずいつかは「死ぬ存在」である。そのような有限な存在であるからこそ、与えられた命と人生のひとときを大切にしなくてはならない。それを子どもたちに実感として伝えることができるのは、やはり人生の先輩である、われわれ大人である。毎日子どもたちの前に立っている教師自身が、その日々を人間的に豊かに、楽しく生きている姿は、なによりも子どもたちに「生きる活力」を育て、「生きるよろこび」を伝えることにつながるであろう。

アクティブ・ラーニング❹　「死ぬほどつらい」と相談されたら

　生徒から「死にたい」などの深刻な相談を打ち明けられた時、どのように対応するか。ＴＡＬＫの原則をふまえた上で、どのような態度や姿勢で話を聞くか。聞き出す内容を「学生時代で一番楽しかったこと」や「最近一番笑ったこと」などに変えてもよいので、実際に先生役と生徒役の2人一組でロールプレイし、どのようにすれば、相手が話しやすくなるか試してみよう。

問題演習 生と死にかかわる指導の留意点

〈問題〉

学校教育において自殺防止に関する指導に取り組む場合、青少年の自殺の特性を踏まえて、どのようなことに留意すべきかを述べなさい。(800字程度)

〈解答例〉

青少年の自殺の一つの特徴として、群発性がある。アイドルの自殺やいじめ自殺のニュースをきっかけにそれを模倣した自殺が続発した例もある。また、友達・知人の死が、自殺の誘因となることもあるので、児童・生徒にかかわりのある自殺や死亡事故が生じた時には、慎重かつ迅速な対応が必要である。その際、事実を隠すことによって、不正確なうわさが流布されるよりも、むしろ遺族・関係者の協議にもとづいて、追悼集会などの際に適切な情報開示をし、誤解等による無用な混乱を避けるとともに、「事件事故をどのように受けとめるべきか」という具体的な展望も示し、遅滞なく教育的な指導を行うべきである。特に、「葬儀時に非常に落胆していた」、「自殺前に交流があった」、「自殺後に欠席、遅刻、体調不良が見られる」など、自殺の危険が高まる可能性がある生徒に対しては、カウンセラーや精神科医らの専門的援助を得られる態勢をととのえるとともに、生徒に対しても、「自殺に接したことによる悲しみの感情以外にも、恐怖、怒り、不安、焦燥感、不眠、過呼吸などの症状が生じることは、決して異常ではない」ということを理解させ、いつでも相談に応じる用意があることを周知すべきである。また、一般的な自殺予防の観点からは、「死にたいと考えるほどの苦しい状況は人生のなかで誰にでも起こる可能性があること」、「その苦境を乗り越える方法を知ることが大切であること」、あるいは、「自殺を考えるほど追いつめられた人の自殺の予兆はどのようなものか」を伝えたい。とりわけ、「死ぬほどつらい時は身近で最も信頼できる人に救いを求めること」「自殺を考えることはうつ病等精神疾患に起因する場合も多いので

早期に医療措置をとること」の重要性や、「他者から相談を受けた場合の受容的、共感的な対応の仕方」、あるいは「どこに連絡をすれば適切な援助やアドバイスが受けられるのか」といった、具体的な救済の手段を理解させることが不可欠であると考える。

《解説》

自殺等について公に語ることは、タブー視されることも少なくはない。しかし、現実には、すでに子どもたちの間には、死に対する不適切なイメージや誤った情報も含めて、非常に多様かつ大量の情報が与えられている。そのような現状のなかで、「命を大切に」といった、スローガンを示すだけではなく、その他に具体的な援助の方策が示されなければならない。生徒にとっては、何らかの事情によって、精神的なダメージを受けた場合に、「どこに相談をすればよいのかわからない」という状況にもなりかねない。自殺や死を扱う学習は、深刻で重苦しいものにもなりがちであるが、問題解決の展望をもった取り組みが必要である。

教師の仕事の過重労働化にともなうストレス増加が、教師の精神疾患を増加させる傾向にある。そのような現状から考えると、生徒の自殺予防プログラムを実施し、教師がメンタルヘルスについての理解を深めることは、教師自身の精神的な健康保持のスキルを習得することにもつながる。特に、物事に実直で真面目な教師が、様々な教育上のトラブルを自己の責任と感じ、自分自身を精神的に追いつめ、うつ病等の精神疾患を患う例も増えている。その最も深刻な症状の一つが自殺念慮であり、できるだけ早期に適切な治療を開始することが望まれる。その意味では、多様な人間とうまくかかわる方策、ストレスを上手に解消する方法、あるいは、どうしても行き詰まった場合の対処法などは、生徒や教師だけでなく万人にとって、現代のストレス社会を生きぬく知恵といってよいだろう。

第4章◉不登校は悪くない？

　文科省は「不登校」を、何らかの心理的、情緒的、身体的、あるいは社会的要因・背景により、児童生徒が登校しないあるいはしたくともできない状況にある（ただし、「病気」や「経済的な理由」によるものを除く）もので、「年度間に連続又は断続して30日以上欠席した児童生徒」とし、この「不登校」に該当する者について毎年その実態調査をしている。

　この文科省による学校基本調査では、令和2年度の国公私立小・中学校における不登校児童生徒は、小学校6万3,350人、中学校13万2,777人となっている。全児童生徒数に占める割合は、それぞれ1.00%と4.09%である。30人から40人程度の学級を基準として考えると、小学校では児童数100人あたり1人以上の不登校児童がいることになり、中学校では1クラスにおよそ1～2人は不登校の生徒がいることになる。このように考えると、不登校への対応は、

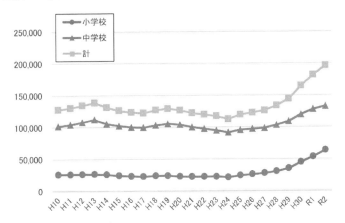

図4-1　不登校児童生徒数の推移
　　　出典：令和2年度児童生徒の問題行動・不登校等生徒指導上の諸課題に関する調査結果概要（2021）

ほとんどの学校にかかわる課題といってよい。

不登校生を「見守る」ということ

　平成 25 年度の「平成 25 年度児童生徒の問題行動等生徒指導上の諸問題に関する調査」では、「特に効果があった取組」として、「登校を促すため、電話をかけたり迎えに行くなどした。」が 48.5%、「家庭訪問を行い、学業や生活面での相談に乗るなど様々な指導・援助を行った。」が 46.9%、「スクールカウンセラー等が専門的に指導にあたった。」が 40.0% となっていることから、不登校状態の改善には、家庭への働き掛けやスクールカウンセラー等の活用が有効とされている。

　しかし、ここで留意すべきは、不登校の生徒に対して、「毎日のように登校を促したり、家庭訪問を繰り返すことが、問題の解決につながるとは必ずしも言えない」と記されている点であろう。どのようなタイミングで、どのような方法で登校を促すのか。不登校状態になりかけたり、そういう状態になっている生徒一人一人に応じた対応の仕方が重要なのであって、担任教師らが熱意のままに登校刺激を与えても、その学校からの働きかけの量と不登校からの回復の程度は、決して比例するとはいえない。

　不登校生の進路相談会を全国で開いている「日本青少年育成協会」が不登校の経験者 330 人にアンケート調査をしたところ、不登校の間、周囲からしてほしかったことは「見守る」が 56% で最多。次いで「向き合う」「何もしない」と続いた。一方してほしくなかったことは「学校に誘う」66%、「家に来る」55% など。人によって異なるが、同会の相談活動の中で、相談員側から「接し方など微妙な部分で、経験者でないとわかりあえないことがある」との意見が出た。そのため、試みにある相談会で不登校経験のある通信高校生を相談員に起用したところ、自分の体験を率直に語り、相手の悩みを親身に聞く対応が好評だった。そこで、さらに、不登校経験者のボランティア相談員を募集したところ、定員の約 30 倍にのぼる応募者があったという（読売新聞、2001 年 5

月22日)。

　このような経験者たちの視点からみれば、教師側の連絡や電話、そして家庭訪問を望む不登校生は少数派であることがわかる。

　不登校問題に長くかかわってきたフリースクールのある主催者から聞いた話であるが、ある地方都市の中学校で、不登校状態の中学生男子とその母親が、無理心中をし、その先生あての母の遺書には、「毎日毎日家庭訪問をしてもらったり、話をしていただいたりして、『明日こそは登校する』という約束を何度もしたにもかかわらず、結局登校することができず、本当に申し訳ありません。こんなことになってしまったのも親の責任です。子どもとともに死んでお詫びします。本当にありがとうございました」という主旨の謝罪と感謝がつづられていたという。

　このような悲劇は、やはり不登校生とその家族への心理状態に対する教師の側の無理解に原因があるといわねばならない。

　前述の「日本青少年育成協会」の不登校経験者へのアンケート調査では、不登校克服のきっかけは、第一に家族（45％）、次いで友達（34％）であり、教師はその後塵を拝している。不登校への取り組みとして成功したと考えられる事例は、その多くが子どもの状態に応じた柔軟な対応をとっている。例えば教師の訪問には消極的でも、親しい友だちからの連絡や訪問を本人が求めているのであれば、そのような機会を設けるなど、本人にとって最も安心のできる、喜ばしいかたちでの取り組みを構築していく必要がある。そして、保護者との連携や場合によっては、専門機関との協働によって、不登校の原因を探りつつ、本人にとって最もよい学習のすすめ方を模索していかなくてはならない。

　長期欠席の理由は、文部科学省の分析でも、中学生の場合には友人関係や学業不振など、学校生活に起因するものが多いとされている。実際に、1980年代以降「いじめ」が主な理由とみられる不登校の事例が急増し、さらに近年は摂食障害やひきこもり状態をともなった神経症的傾向のある不登校も目立つようになっている。さらに2020年の調査では、「新型コロナウイルス感染回避」を理由とする長期欠席も相当数計上されている。このような様々な事情を勘案

すると、不登校を含む長期欠席の児童生徒に対して、「学校に来ないことは悪い」という既成観念は、不登校生と十分なコミュニケーションをさまたげるだけである。医療・心理等の関係機関や専門職とも協働し、個々の家庭事情や本人の考え方に十分に配慮した支援や指導が、課題解決への重要な鍵となってきている。

「不登校」をどうみるか？　──ナオコの場合

2学期の始業式日、ナオコ（仮名）という転校生が、日本海側の某県から私の担任する1年生のクラスにやって来た。彼女のまなざしは、大変不安げで、担任である私やクラスメイトの視線や態度など、注意深くまわりの様子をうかがっているという感じだった。

彼女が不安を感じるのには、単なる転校が理由ではなかった。その第一の理由は、中学時代から長期間不登校であり、その地元高校進学後も不登校傾向だったことである。ナオコが中学2、3年生のときに、年間100日をゆうに超える長期欠席をしていたことは高校としても把握していた。そういった状況下でも、全日制普通科の中堅高校に入学できたのは、不登校中も家庭学習を怠らなかったからである。そのため、高校の転校時の編入試験も十分な得点をとって転校してきたのであった。

初めての面談

多くの中学、高校がそうであるように、入学後にはクラス全員と担任との面談が行われるし、転校生にも早い時期に面談が行われることが多い。この最初の面談での第一印象がその後の、1年間、場合によっては3年間の教師と生徒の人間関係を方向づけてしまう時もある。その意味では、生徒にとっても、担任教師にとっても、お互いを知るいい機会であり、「生徒がかかえている不安や期待は何か」、「学校生活に何を求めているのか」をしっかりと受け止める最

初の大切な場面である。

　一口に不登校と言ってもその原因は子どもの数だけある。それだけに、ナオコの場合も、その原因や背景を明らかにし、問題解消の糸口を探ることは、面談の主目的の一つであった。

　はじめから、単刀直入に切り出すことは、場合によっては心理的なプレッシャーを与えてしまう。やはり、最初は、学校やクラスの印象や趣味・特技、得意な教科や不得意な教科とか、「学級委員でなりたいものはあるか」、「入りたいクラブがあるなら、それはどのクラブか」などを聞いていくことになる。ナオコは、明朗快活というよりも、か弱い印象の生徒であった。けれども、こちらの問いかけに、トツトツと素直に答え、自分のことを少しでもわかってもらいたいという気持ちの伝わる話しぶりだった。その様子から、さきほどのような問答の後で、「もし言いたくなければ、言わなくてもいいけれども、これまで休みが多かったのは、何かわけがあるのかな？　少しでも君の力になるために、是非聞いておきたいのだけれども…」と、面談の核心部分とも言うべき、問いかけをしてみた。ナオコはいずれそのことを尋ねられると思っていたようで、驚いたり、躊躇したりするような様子もなく、事のいきさつをたいへん分かりやすく話してくれた。その概要は、次のような話であった。

いじめと不登校

　自分は関東で小学生時代の大半を過ごしたが、その後小学6年生の時、父の転勤で日本海側のある地方都市に転住して、地元の中学に入学した。その中学2年の時、方言のしゃべれないナオコに対していじめがはじまり、そのいやがらせに耐えられなくなって、学校へいかなくなった。高校は地元に進学したが、やはり同じ中学から来た生徒もいて無視されたり、新しいクラスメイトにも、中学時代のことを言いふらされたりして、その高校でも欠席がちになった。今年の夏、父が大阪へ転勤となって、関西弁になじめる自信がもてず、以前のようないやがらせやいじめにあったらという心配もあったが、転校を機会にもう

一度、クラスやクラブでの友達づくりや皆との学校生活を楽しみたいと考えていることなどを、話してくれた。

「君は何も悪くない」

いじめだけでなく、友達関係の問題や悩みをきっかけにして、不登校にいたる例は少なくない。このような場合の、指導の指針としての「いじめ指導の三原則」（するを許さず、されるを責めず、第三者なし）の意義は、前述のとおりである。いじめられた子どもに対して、教師や親などの大人がまずせねばならないことは、「人の心を傷つけたり、暴力をふるうことは絶対許さない」、「いじめられた側の君は何も悪くない」という姿勢とメッセージを明確に子どもに伝えることだろう。

ナオコの話を聞いた後で、まず「いやな思い出だったと思うけど、よく話してくれたね」とねぎらいの言葉をかけ、そして「言葉のくせや方言なんかで、人を差別するような人は最低だね。君は何も悪くないし、学校に訴えても何もよくならないなら、そんなクラスに通って精神的に参ってしまったりするよりは、行かないほうがよかったと思うよ。」と、ナオコのこれまでの行動を不登校も含めて肯定的に評価した。そして、編入試験の結果からもナオコが文系科目に相当の学力を持っていることも明らかだったので、「家でも、よく勉強していたんだね。学校へ行かなくても、これだけ自分でやれたら、立派なものだよ」と、これまでの努力の成果を客観的なデータとともに示したりもした。

そうして、これまでのナオコ自身が、自分の「生き方」を肯定的にとらえ、自信をもつことから新しい高校生活をスタートすることができたのは、本当にラッキーであった。ナオコは単に「マイペースで真面目」というだけでなく、人のために役立つことに喜びを感じられる「優しさ」をもっている生徒であった。そういう面が生かされ、そして確固たる友人関係の育つ場として、運動部のマネージャーをやってみることになった。

ナオコは、いわゆる「体育系」タイプの人間ではないが、サッカー部の練習

や試合の記録の管理などクラブ運営の様々な裏方の仕事にやりがいを感じ、他のクラブのマネージャーとも交流を深めて、無二の親友を得ることができた。そして、これまでの長期欠席がうそのような順調な高校生活を送った。2、3年生になってからも、クラブ内のもめごとや、大学受験のプランなどについて、何かと相談や質問に訪れ、そのたびに長い話をすることになったが、それは同時にナオコの人間的な成長を一歩一歩確かめていく場と考え、「自分の正しいと思うこと」、「最良と思える選択」をしていくようにアドバイスしていった。

彼女は、その後も志望大学の社会学部に入学すると、社会調査の科学的手法を駆使した研究活動が認められ、大学院に進んだ後に就職し、キャリアを積み上げている。彼女ほどの人材が、なぜ中学から高校まであれほど、苦しみ、不登校に追いこまれたのか、それは私にとっては未だに謎である。ただ、言えることは、今不登校状態にある子どもも、多くは人生を大きく開花させられるということである。

不登校への働きかけ

不登校の状態にある生徒に対して「見守る」という対応は、「何もしない」とか「ただ待つ」ということではない。

不登校が長期化している場合には、養護教諭、スクールカウンセラー、心の教室相談員などと連携した指導が不可欠である。また、家庭内の課題が福祉的支援の必要なケースでは、スクールソーシャルワーカーの活用も重要な選択肢である。それら学校内外の専門職員による指導を受けた公立小中学校の児童・生徒は、近年、年間20万人を越えている。また、教育センター等の教育委員会所管の機関や、教育支援センター（適応指導教室）など、学校外の専門機関と連携した対応も有効である。

また、特に不登校への対応として、2019年の文科省通知「不登校児童生徒への支援の在り方について」は、「不登校児童生徒への支援は、『学校に登校する』という結果のみを目標にするのではなく、児童生徒が自らの進路を主体的

に捉えて，社会的に自立することを目指す必要がある」と述べている。

　近年、不登校の数は、増加傾向にある。そして、その人数の増加だけでなく、その要因も多様で、複数の原因が関わっている場合もある。さらに、個々の子どもが抱えている課題も様々であるから、その子どもにとって適切な対応は千差万別であるといってよい。

　だからこそ、学校への復帰を絶対的な目的とするような一面的対応は、不登校の子どもや親を極度に追いつめる場合もあり、柔軟な対応と個々のケースに応じた目標設定がされねばならないのである。また同じ子どもであっても、その時々の状態に適した、無理のない、継続的で組織的な「かかわり」が大切である。

アクティブ・ラーニング❺　不登校の対応を考えるブレインストーミング

　不登校の理由は、百人百様である。具体的な事例を想定し、「担任教師として、（学校として）何かできるか」をブレインストーミング方式で、グループ討議してみよう。

　ブレインストーミングは、参加者が自由奔放にアイデアを出し合い、互いの発想の違いを利用して、連想を行うことで、さらに多様なアイデアを生み出そうという集団思考法・発想法のこと。「ブレインストーミングの基本的ルール」は以下の３つ。

①批判は行わない。提出されたアイデアに対する批判や判断、意見は原則排除。

②アイデアは多いほどよい。奔放、一見つまらない、乱暴に思えるものも受容。

③他人のアイデアの修正、発展、具体化など、改善案や組み合わせ等も歓迎する。

　討議の内容は、ＫＪ法やマインドマップでまとめてみよう。

第4章◉不登校は悪くない？　69

　保護者・教職員をはじめ学校内外の人々が「チームとしての学校」として連携すること、すなわち、教職員一人一人が自らの専門性を発揮するとともに、医療・心理・福祉等の専門スタッフや関係機関等の参画によって、不登校やいじめに苦しんでいる子どもたちやその家族との関わりを充実させ、切れ目のない組織的な支援をしていくことが求められている。

　本章で取り上げたナオコのように「明るい将来が、不登校など学校教育への不適応状態をおこしている自分たちにもある」ということを伝え、そのコミュニケーションをとおして、一人一人の子どもの自信と気力を少しずつ育てていく努力が、今日の教師に求められているのである。

70

問題演習 自分のクラスの生徒が不登校になったら

〈問題〉

不登校の生徒に対して、担任としてどのような対応をしますか。

(兵庫県　面接　(改))

〈解答例〉

　不登校の原因や背景が、非常に多様ですから、まず十分に生徒の心身の状態を理解するように努め、どのような働きかけを行うべきかを考えたいと思います。場合によっては、教師からの連絡や訪問を苦痛に感じているようであれば、それ以外の手段をとったり、本人が登校への気力を回復するまで「待つ」姿勢も必要です。しかし、それは「何もしない」ということではなく、保護者や友達などを通じて状況を把握し、適宜連絡をとるなど、つながりを保ちつつ、「見守る」という対応でなくてはなりません。

　具体的には、不登校の初期の電話連絡で、病気でないと確認できたとしても、「病気でないのなら、学校に登校しなくてはならない」というような一方的な指導にならないよう留意し、本人と話ができれば、「声が聞けて良かった。電話に出られないぐらい体調が悪いのかと心配したよ」というように、生徒を思いやる姿勢を伝えたいと思います。「朝登校時に体調が悪くなる」とか「体がだるい」と言う症状や倦怠感等の訴えに対しては、医療的措置、養護教諭やスクールカウンセラーとの面談などが考えられます。不登校がある程度長期化している場合には、教育支援センターなどの利用も考えられます。そのような様々な対策があることを本人や保護者に伝えるとともに、本人にとって最良の方法が何かを相談する場を設けなくてはなりません。また「学校がおもしろくない」などと明確な理由を述べずに登校をしぶるなどの場合には友達関係や学校生活上のトラブルの可能性もあるので、本人だけではなく、同僚教師や友達等からも可能な限り情報を得て、不登校の要因を探り、問題解決に取り組みたいと思

います。その際、理由を無理に聞き出そうとプレッシャーを与えるよりも、本人自身が話をする気持ちになるまで時間が必要な場合もあるでしょう。同時に、保護者自身も、本人とともに不安感や焦燥感が高まることが予想されます。そのような保護者の心情にも配慮して、本人とは別に保護者からも十分に話を聞く機会を設けるなど、保護者との協力関係を築くことも非常に大切だと思います。さらに、学年主任や生徒指導や教育相談担当の教師等に指導経過を逐次連絡するとともに、学校全体でも情報を共有しつつ、教職員が一体となった指導態勢をととのえたいと考えます。

《解説》

　文科省の「不登校に関する調査研究協力者会議」は「不登校児童生徒への支援に関する最終報告」(2016 年)のなかで、「社会や経済の変化に伴い、児童生徒や家庭、地域社会も変容し、不登校児童生徒への支援の在り方についても複雑化・多様化しており、学校や教員だけでは十分に解決することができない課題がある。」として、そのために「コミュニティ・スクール(学校運営協議会制度)や様々な地域人材等との連携・協働を通して、保護者や地域の人々を巻き込み、教育活動を充実させていくこと」、そして、個々の教員が個別に課題に対応するのではなく、「校長のリーダーシップの下、学校のマネジメントを強化し、組織として対応できる体制」すなわち「充実した指導体制」の整備が必要だとする。そして、その上で、「不登校の未然防止や早期発見・早期対応、不登校となった児童生徒への支援という課題に対して総合的な対策を充実していくために、学校や教員が心理や福祉等の専門家(専門スタッフ)や教育支援センターや児童相談所など学校外の専門機関等、児童生徒を支援する資源との横の連携を進めるとともに、継続的に一貫した支援を行う観点から、小学校、中学校、高等学校という児童生徒の成長を見守る縦の連携が重要である」とする。

　また、文科省の有識者会議が 2003 年に不登校対策としてまとめた報告書では、不登校に対する基本的な指導姿勢として、「社会的自立や学校復帰に向けて、

72

周囲の者が適切な働きかけをすることが重要」であり、「ただ待つだけでは状況は改善しないという認識が必要」であるとする。また、学校の取り組みとして「いじめや暴力に厳しく対応し、安心して通うことのできる学校を実現すること」とされている。そして、具体策として、スクールカウンセラー等との連携、クラス替えや転校の柔軟な対応、教育支援センターの機能強化およびそれと学校との連携、体験プログラムやＩＴ（情報技術）の活用などが述べられている。

　まさに不登校は、その原因も有効な対策も十人十色である。上記の報告を参考に、現場での不登校の指導を考えた時、最も大切なことは、どの生徒に対してどのような対応が最も効果的かという判断である。したがって、①不登校の原因の多様性に対応した多様な指導手段があることの認識、②その多様な取り組みにおいて、本人との信頼関係構築はもちろんのこと、保護者や同僚教職員との情報共有や共通理解、心理・福祉の専門職や関係機関との連携を図ること、③登校を促す指導と見守る指導とのバランスがとれた柔軟な働きかけを継続的かつ組織的に行うこと、以上の点が不登校の指導を考えていく上で、重要なポイントになるであろう。

第5章◉セクシャル・アクシデントと性教育

　性に関する指導と援助は、非常に重要になってきている。その最大の理由は、一般に考えられているよりも、性的被害が広範化し、しかもその程度の深刻な事例が増加しているからである。また、中高生の性的行動と性に対する意識が進んでいる。日本性教育協会の調査（2019 年）によると、初交経験率では、1974 年に、女子高校生で性交経験のある者は 5.5% であったが、2005 年には 30.3% と約 5 倍に急増し、この間に男子も 10.2% から 26.6% に増加した。女子中学生も 1987 年の 1.8% から 2017 年の 4.5% へ 2.5 倍の増加が見られる。他方、2017 年には女子高校生が 19.3%、男子高校生が 13.6% に減少し、特に男子は大学生でも 63.0% から 47.0% へと減少率が高く、異性と交際しない若者や非婚者の増加も少子化要因として懸念されている。

　また、東京都幼・小・中・高・心性教育研究会の「児童・生徒の性に関する調査」（2011 年）では、「あなたは高校生が性交することについてどう思いますか」という問いに、生徒の過半数は許容的である（同研究会「現代性教育研究ジャーナル」45 号（2014 年）5 頁）。

　これらの調査結果からみれば、少なくとも、数十年前と比べて、相当数の性交経験者やそれを肯定する生徒の存在を前提とした性に関する指導が必要になっている。しかも、携帯電話やインターネットが身近なツールとなった現代社会のなかで、これまでとは異なったセクシャル・アクシデントも頻発するようになった。

　性の問題を「あってはならないこと」として目を塞ぐような姿勢では、何も解決しないし、学校や教師への信頼も得られない。これからの性教育は、いわゆる「純潔教育」ではなく「望ましい男女関係のあり方」を自己決定できる「生きる力」の育成が求められている。ここでは、このような視点からの現状理解

と、性に関わる指導のあり方を考えてみたい。

中高生の性被害

　性暴力被害者研究会による調査『女性が受ける性的被害と警察に求める援助
－１次報告』（1996年）（質問表配布7,000通・有効回答2,015通）は、本書
執筆時から20年前の調査であるが、極めて貴重なデータを提供している。同
調査によると、「下着を盗まれた」、「むりやり性器を触られた」、「強姦されそ
うになった」等の性的被害にあった女性は、回答者の93％に達し、他方その
被害を警察に届けた人は全体の９％であった。犯罪統計に表れない被害が10
倍以上も存在することになる。なお、法務省の調査では性犯罪被害者の届出率
は14.3％とされている（『犯罪白書』令和元年版、「被害態様別過去５年間の
被害申告率」6-1-2-3図）が、いずれにしても、認知件数の５～10倍程度の
性的被害が生じていると考えられる。
　そして性暴力被害者研究会の調査で最も深刻な被害は未成年期に多発してい
る。特に12歳以下では、「性器を触られた」という被害が多く、直接的かつ
心身に重大な侵害行為にあっている。さらに強姦被害者（65人）の加害は友人、
教師、親族など顔見知りによるものが88％となっている。加害者に教師が相
当数いることは、驚くべきことである。しかも、そのような被害の影響として、
ＰＴＳＤ（心的外傷後ストレス障害）とみられる精神的後遺症を示唆する回答
も少なくはない。同研究会の鈴木純子さんは新聞取材に「これほど多くの女性
が被害にあい、おびえたり、緊張して暮らしている実態に改めて驚いた。特に
子どもの被害の深さは印象的。大人になっても傷を抱えた人が多かった」と答
えている（朝日新聞、1997年7月7日）。
　同様に岩崎直子の「大学生を中心とした男女学生277名を対象に 質問紙調
査を実施した」調査研究も、調査実施時点までの被害経験率として「女性の
74.0％および男性の25.0％が何らかの被害経験を持ち、『レイプ既遂』の被害
率は3.4％で、そのすべてが『友人・知人』『恋人』などの『顔見知り』から被

害を受けた」とする（「日本の男女学生における性的被害」調査（「心の健康」
15巻2号、52-61頁、2000年）。

　同時期の神戸女学院大学心身医学ゼミによる調査でも女子大生の88.6%が痴
漢やのぞき、強姦などの性的被害を受け、多くの被害者が不眠や情緒不安定と
いったストレス反応を示しているという調査結果をまとめている（朝日新聞、
1997年4月2日）。

　さらに近年の性的トラブルの背景に、インターネットの急速な進歩と普及、
そして大人社会のモラルハザード状況も考え合わせなくてはならい。

「まじめ」な少女が家出や妊娠
——出会い系サイトの「甘いワナ」

「癒しを求めて心と体に傷を負う」の見出しで毎日新聞は、次のような記事
を掲載した。今日の子どもたちの「性」の裏面を知る上で、参考になる。

　大阪府警少年育成室が開設する電話相談「グリーンライン」（06-6772-7867）。ここ
には年間1000件をこえる相談が寄せられ、大半が少女とその母親からの「性」に関す
るものだ。最近、まじめなタイプの女の子が出会い系サイトで知り合った男と、金銭関
係なしに肉体関係を持っている実態が浮かび上がっているという。少女らが求めている
のは、希薄な人間関係から生じる心のすき間を埋めてくれる「癒し」だと、相談員は感
じている。

　ある高3の少女の場合、出会い系サイトで知り合った男性数人とホテルで会っていた。
この少女は運動部で活動する明るいまじめな子だという。「私を評価してくれない」と
両親に対する不満をそうした男たちに打ち明け、毎日、何通も送られてくるメールを楽
しみにしていた。

　別の高1の少女は、長女として厳しく育てられた。サイトで同世代の少年と知りあっ
て家出し、妊娠した。「少年と一緒に子どもを育てる」として家に戻ろうとしない。

　2人の少女は男から金銭を受け取っていなかった。「試験がんばれよ」「お疲れさん」と、
頻繁にメールが届き、家族や学校の悩みにもよく耳を傾けてくれる20〜30歳代の会
社員が多いのも特徴。少女は相手が見えない気楽さもあって何でも相談しているうちに
直接会うようになってしまう。

> 　同育成室によると、何人ものメル友と同時につきあい、肉体関係をもっている少女
> もいる。
> 　相談を担当する少年補導職員（係長）の錦光栄さんは「少女たちは擬似恋愛を求めて、
> サイトにアクセスしている。しかし、男の大半はナンパが目的だ。彼女たちの警戒心は
> 驚くほど低い。もっと自分を大事にしてほしいのですが……」と話す。
>
> （毎日新聞（大阪本社）、2002 年 12 月 2 日夕刊）

　この記事を読んだある大学生も「出会い系サイトにはまってしまう気持ちが
わからないでもない。ポッカリあいてしまった心のすき間を満たしてくれるも
のがなくて、たまたま見かけたものが出会い系サイトで、しかもそこで出会っ
た人は自分の求めるような言葉を言ってくれる。頼りたくもなると思います」
と感想を記している。教師として、大人として、しかしそれでも、「その言葉
が本当に自分のことを考えてのアドバイスなのか」「その言葉に頼っていいの
か」を生徒自身が考え、見抜く力を育てる生徒指導が必要になってきている。「そ
のようなものに巻き込まれかけている生徒はいないのか」に目配りすること、
また「そうした生徒に救いの道をどう指し示すのか」、さらには「性に関わる
指導から『生』の尊厳をどのように伝えるのか」という課題が現代の教育に問
われているのである。

メル友がストーカーに・・・

　生徒指導上、性被害の防止に十分な配慮と対策をとるとともに、不幸にして
被害が生じた場合に、事後のケアをどのように進めていくのかを考えておく必
要がある。次の事例は、メル友がストーカー化したために被害が及びかけた事
例とその際の学校の対応例である。

　ある日の授業中のことである。突然一人の女子生徒が泣き出した。授業の後、
事情を聞いてみると、「親にもいえない心配事のため、思わず涙が出てとまら
なくなった」という。その心配事とは、次のような内容であった。

第５章●セクシャル・アクシデントと性教育　77

「インターネット上のあるスポーツ関係のサイトの掲示板で知り合った男性Yと高校１年の時からメル友になった。練習のメニューやトレーニング方法など技術的なアドバイスだけでなく、試験の時には励ましてくれたり、親や学校への不満を聞いてもらったり、将来のことへの相談などいろいろな話をメールするにようになったが、「会いたい」というメッセージが増えてきたので、少し怖くなったこともあり、また自分も文化祭やクラブなどで忙しくなったので、こちらからメールをすることが少なくなった。そして、最近はメールをもらっても返事もしなくなっていたが、そうするうちに、逆に相手のメールが急に増え、それを無視していると、『どうして返信しないのか、俺を馬鹿にしているのか』『こちらは、君のことを良く知っている』と脅すようなメールが来るようになった。それで、メールを着信拒否にしたら、数日してから、自宅の電話に男性Yが電話をかけてきた。その電話で『君の家の前の○○というクリーニング店まで来ている』という連絡が入った。メールで用いていたハンドル・ネームを言ったので、すぐに男性Yとわかった。会ったこともないし、家の住所も教えていないが、自宅前には確かにクリーニング店○○があるので、どうやらこれまでのメールの内容から、家の場所を探し当てたらしい。さらに、ここ数日、登下校中の道や駅に、女子高生ばかりを見ている男がおり、それが男性Yかもしれない。その男につかまったり、暴力をふるわれたりするかもしれないので、恐怖しかない。しかも、相手のメールは気持ち悪いので、すべて消してしまっているから、相手のことはメールアドレスも、名前、住所、年齢などもわからない。何度か顔の写真もメールで送ってきたことがあるが、消去してしまったし、写りが不鮮明だったこともあって、ほとんど記憶にも残っていない。親はこのことを知らないし、どうしていいのかわからなくなった」というのである。

共学校の高校教師である私の経験からすれば、ストーカーの被害者からの相談は、「１、２年に一度はある」という頻度ではあるが、決してまれなことではない。まず、このケースについて、私のしたことは、「無言電話などを繰り返

しかけてくること、つきまとう行為は、ストーカー規制法が禁止する『ストーカー行為』に当たるので、警察の力を借りて禁止命令を出したり、それに違反したら処罰できるということ、脅迫、暴力、誘拐、連行はもちろん、「面会の強要」なども強要罪になる。つまり「被害者を守る仕組みがあるので、心配しすぎることはない」ということを、インターネット上の県警のホームページ資料も示しつつ、具体的に伝えた。それは、救済策の提示ということによって、「どうしていいかわからない」という被害生徒の精神的動揺をある程度抑えることに、一定の効果があったといえるだろう。

　また、しばしばストーカー被害に限らず、痴漢や強姦の被害でさえも、被害生徒は、「メル友になった自分が悪かった」、「私の態度や行為が危険を招いた」、「交際の断り方が悪かった」、「誕生日や旅行のプレゼントをもらったことで相手を誤解させた」など、自分を責めたり、あるいは「家族や他人から責められるのは自分ではないか」という不安があり、相談が遅れたり、十分に悩みを訴えきれないこともある。まずそのような相談を受けた場合、ストーカー行為は「相手のストーカーが悪い」ということ、逆に言えば、「被害者が自分を責めることはない」という姿勢を明確に相談者が示すことも大切である。

　さきほどのケースも、そのような姿勢を示した上で、「身の安全を守ることが最優先である」こと、「そのためには絶対に保護者の協力が必要」ということを理解させ、保護者には担任を通じて連絡した。その当日は教師が付き添って帰宅させ、自宅で学年団教師と本人・保護者を交えた対応の協議を行った。また、学校としては、学年団教師と生徒指導部担当教師のチームで、ストーカーへの対策をとることを協議した。

　その対策の骨子は、二つである。第一は、登下校時の安全確保である。保護者による駅または学校までの付き添い、自宅近くの友人数人との集団登下校、学校としては、不審な電話での問い合わせには応じないことや不審人物の侵入に対して、通常の注意にもまして、厳重に注意することに加えて、特にクラブ終了後の下校時に被害生徒が一人にならないように、保護者とも常に連絡をとって見守りをした。

第5章●セクシャル・アクシデントと性教育　79

　第二に、今度男性Yからの電話またはメール（受信拒否を解除）のアクセスに対して、「あなた（男性Y）の行為はストーカー規制法による違法行為であり、これ以上の『つきまとい行為』があれば警察に通報する、場合によってはあなたが処罰される旨を通告する（保護者から）」ということである。また、警察への申し出に備えて、念のためにこれまでの事実の経過に関するできるだけ詳細なメモの作成と、これからのストーカー行為の詳細の記録を保存しておくことである。

　加害者が学生や他校生である場合は、「相手の学校に被害を通告する」という警告も有効であり、会社員で勤務先が明確であれば、「勤務先に連絡する」ことも可能であろう。実際には、加害者の方は、被害者が深刻な被害意識をもっているという認識のない場合や恋愛感情の一方的な高ぶりによる場合も少なくはない。そのような相手の気持ちや状況に対する理解不足からストーカー行為に走っている場合には、加害者自身が社会的制裁を受ける可能性を感じたり、ストーカー規制法の存在を、その時に知ったりして、ようやく自己の行為の違法性や反社会性を知るというケースもあった。多くは、警察への警告手続の申し出を行うことなく、加害者のストーカー行為が消滅したが、さらに深刻な状況下においては、結果として、警察への手続の開始も必要になるかもしれない。その場合は、警察が適切な被害者保護策をとってくれるように学校として警察への要請を行い、協働して対処していく必要があるだろう。そして、さらに警察の動向によっては、そのような法的手続きに詳しい弁護士等専門家の仲介も必要になるかもしれない。そのときにも、学校として適切なアドバイスが必要だろう。

　また、性的被害が女子生徒の妊娠や性感染症といった身体的被害に及んだ場合は、養護教諭を中心とした医療的ケアと援助も極めて重要である。

性教育と生徒指導
——性教育の体験感想

　教職課程受講生に対する「これまでの学校教育のなかで印象に残っている性教育の内容は何ですか」という問いに対する回答の双璧をなすのが、「妊娠・中絶」と「エイズ（ＨＩＶ）」に関する学習である。そのなかでも、「妊娠・中絶」に関しては、産婦人科医師による講話とビデオなどによる「中絶」の映像シーンの鑑賞を記憶している学生が多い。

〈性教育の体験感想例１〉
　高校の時に中絶時の実際のビデオを見せられ、胎児の体を母体内でバラバラにしたり、頭を器具で砕く様子が映っていた。ビデオや、それを説明する保健の先生の話は、当時『過激すぎる』と感じましたが、さすがにインパクトがあって、それまであまり性について真剣に考えていなかった人でも、少しはこの特別講義をきっかけに真剣に考えるだろう。

〈性教育の体験感想例２〉
　中絶、出産のビデオを見た。映像の一部にモザイクがかかっていたが、医師や看護師の声、中絶や出産の措置にともなう音がそのままリアルに流れていて、ものすごい臨場感だった。見ていた女子生徒の大半が自分のお腹が痛くなるほどだった。

　このように実写映像の鑑賞とそれにともなう医師等の専門家による解説や講話は、非常に深い印象を与えている。感想例３のように保健師による特別授業（講演）、助産師、産婦人科医師のほか、子どもの犯罪防止プログラムＣＡＰ（=Child　Assault　Prevention）の劇と話を聞いたという経験者もある。子どものための犯罪防止プログラムで、ＣＡＰのトレーナーが寸劇し、誘拐やいじめ、

性的暴力への対処法を子どもに具体的に教えるプログラムもある。また、避妊と性感染症の防止について、コンドームの使用を学習した経験者は多い。そのなかでも、コンドームなどの実物をもちいた性教育を受けた経験者も少なくない。

〈性教育の体験感想例3〉

　高校での避妊具の実習は、体育館で学年全体を対象に行われた。保健所の人（保健師）が講師であった。男女別に整列し、一人一つずつコンドームが配られて、それを用いて正しい利用法が説明された。同じ空間に異性もいるということで、違和感を感じる人もいたと思うが、コンドームを手に取ることは強制されたわけではない。それをしたくない人は、ただ話を聞いているだけでもよかった。その実習後は、配布されたコンドームは回収された。この実習については、新聞にも取り上げられ、批判する人もいたが、それを体験した私（女性）としては、別に「やりすぎ」とは思わなかったし、今でもそうは思えない。避妊具の正しい使用方法は、その時すぐには必要がなくても、いずれ必要な時に役立つと思うから。

〈性教育の体験感想例4〉

　高校の保健の時間に、コンドームだけでなく、性感染症予防や避妊のための薬としてのピルや女性用コンドームなどの避妊具を、先生が実際に教室に持ってきて説明した。そして、班毎に、男性用の普通のコンドームを試験管に装着して、その利用法を勉強した。みんな照れながら装着の実技をしていましたが、避妊の大切さを身をもって勉強できたと思う。

　「エイズ（HIV）」については、感染経路についての知識は、避妊具の利用とともに、「保健」の学習等を通じて習得している場合が多く、比較的周知されている。さらに映画「マイ・フレンド・フォーエバー」（1995年）やテレビドラマ「神様もう少しだけ」（1998年）のストーリー性のある物語を通じてエイ

ズへの理解を深めたという感想も多かった。なかには「ＨＩＶキャリアの人の講演を聞いて、『映画やテレビはエイズの真実を伝えていない。そんなきれいな死に方ではない』という講話内容にショックを受けた」など、特色ある性教育への取り組みも散見された。また、授業ではないが、生徒会活動やボランティア活動の一環として、「エイズデーの募金活動に参加した」という学生もいた。

　このほかにも「高校の時、先生が実際にあったレイプの実話をしてくれて、驚き、悲しみ、命の大切さを知った」、「実際に担任の先生のお子さんの出産時の映像を見せてもらい、命の大切さを学んだ」、「助産師さんから障害児出生時の母親の対応等を含めて、出産時の話や育児の話を聞いた」「産婦人科医師による講演で、妊娠・出産だけでなく性感染症の予防やよい男女関係の持ち方についても詳しく具体的に話してもらい、身近な問題だと感じた」、「女子中学・高校での「女性学」の授業が一番印象的、男女の問題やジェンダーについて考えが深まった」など、学生たちはさまざまな経験をし、各学校では多様な取り組みを進めている。そして、性教育に関するテキストや教材は多数刊行されているし、ネット上にも有益な教育材料が多数提供されている。

　それでもなお、現実に行われている性教育が、本当に生徒たちのニーズに十分応えるものになっているのかは検討の余地がある。

　なぜなら、大学生に対する前述の性教育体験の記述をみると、「20代前半の女性の先生が『子どもを産めない時にセックスするなら絶対避妊すること』とはっきりみんなの前で訴えていたことが好印象だった」など、性教育に意欲的な姿勢をもつ教師がいる一方、逆に、毎年１割以上の学生が「印象に残る性教育はない」旨を回答し、さらに約６割の学生は、「通り一遍の性教育であまり意味がなかった」、「かたちだけ性教育をしたという印象しかない」と言う主旨の感想を記している。教科指導として、学校全体または学年単位の特別活動として、あるいはホーム・ルーム活動の一つとして、性に関わる問題を多角的に取り上げていく努力が求められているのである。

避妊、妊娠、中絶、出産

　今日の日本では、興味本位の性情報が蔓延し、特にインターネット上には問題のあるサイトが無数に存在する。さらに街角にも、ポスター、看板、チラシとして露骨な写真が掲示され、性を売り物にする広告が氾濫している。その情報量は性教育のそれを凌駕しているといってよい。そのような性情報過多の現代日本であるからこそ、科学的、医学的に正しい避妊法や中絶や妊娠・出産とはどういうことか、事実にもとづいた知識を伝え、幸せな人生を送るために「自分の性行動の選択」ができる力を育てる生徒指導がますます必要となっている。

　性教育に限らず、薬物乱用防止や交通安全といった生徒指導にも深く関わるこれらの分野の学習形態については、専門家による講話は具体的な実例の紹介などもあって、教育的効果は大きいといえる。けれども、その理解が自己の性的行動の選択に生かされていくためには、一歩進んで、自分自身でもう少し掘り下げて考える機会を設けることも必要だろう。

　私の場合は、「現代社会」または「政治・経済」という教科指導の一環として、調べ学習の一課題に「性と生」の問題を取り上げ、「生きていくうえで、どのように性を考えるか。自分の恋愛、結婚、出産をどういうものにしたいのかを考えよう」と呼びかけて、生徒自身に調査、報告、討議の機会をつくっている。そこでは、単に「避妊の仕方」とか「エイズにならない方法」というハウツー的な知識の伝達よりも、自分自身が「産むか産まないか」、「ある人と、その時、避妊できるのかどうか」といった人生の岐路としての性の問題や「性暴力」や「売買春・援助交際」、そして「ジェンダー」の問題などが幅広く、そして深く、身近な問題とし議論されてきた。

　そのなかで、私自身も、人生の先輩として、あるいは子どもをもつ親として、そして、一人の大人として、率直に自己の性について前向きに語ることを心がけてきた。性に関する「生き方を模索する」という意味では、教師自身もまた学習者である。性教育の実践の中で教師も自分の性を見つめなおし、生徒とと

もに考えるというスタンスをもつことも重要であろう。

（このテーマについて、生徒自身による主体的な調査・研究、発表・討議の学習指導実践例は、吉田卓司『生徒指導法の実践研究』三学出版（2008年）の第3部1章「性教育と生徒指導」148-158頁および川田文子編著『授業「従軍慰安婦」歴史教育と性教育からのアプローチ』教育史料出版（1998年）所収の小中高の教育実践参照）。

他校、警察、地域との連携を考える
——ある痴漢事件

　最近では、性犯罪だけでなく、児童連れ去りなど子どもを狙った犯罪が多発傾向にある。それだけに、近隣の諸学校との情報交換、警察との緊急連絡体制、地域のボランティア団体や関係機関との定期的交流、性犯罪防止を含めた安全な町づくり、村づくりが地域社会の大きなテーマとなっている。しかし、その連携とは、かつて問題になった「児童生徒の顔写真、名簿（住所録）など個人情報が学校から外部へ流布される」といったものであってはならない。大切なことは、学校が、生徒の安全を守り、ひいては暮らしやすい地域社会をつくるために貢献するという基本姿勢である。そうした組織的で確固とした方針があってこそ、警察等の関係機関も学校とともに生徒のための協同行動が可能となる。

　ある高校生が盗撮の被害にあう事件が起きた。それは、電車でスカート内を盗撮するというもので、数年前から同じ沿線での被害報告が学校あてに何度かあった。その時に被害を訴えた生徒は、一昨日の下校時に初めて盗撮に気づき、あまりにも突然の行為に声も出せずにいた。次の日（昨日）も同じ加害者が同時刻の電車に乗り込んできたので、逃げようとすると、追いかけられるという被害にもあっていた。昨日、一昨日とも被害生徒は友人と同乗しており、加害者の顔も見ていた。そこで、相談を受けた教師は、学年団の

教師だけでなく、校長、教頭、生徒指導担当教師らとも協議し、次の二点を
共通認識とした。

① 被害は深刻で、直ちに被害防止策を講ずる緊急性がある。

② 被害者と担任教師だけでなく、生徒指導担当教師及び被害の目撃生徒も
　警察の事情聴取に同行し、被害者と家族、教職員、警察の三者で本件に
　関する事態の深刻性と救済の緊急性について共通理解を形成すること。

　この協議の後、直ちに保護者に事情を報告し、対応を協議した。そして保護
者の承認を得て、学校管理職から所轄の警察署へ事件の概要が伝えられ、犯人
捜索の要請が行われた。本署の担当係官からの指示を受けて、教師 2 名と生徒
3 名は、犯行現場最寄の交番に行き、事情説明をすることになった。

　加害者は、特定の時間に特定の電車に乗車し、特定の生徒を狙っている可能
性があるので、警察と連携すれば加害者を拘束できる可能性が高かった。その
ような条件もあって、警察の対応は速かった。派出所の警官が事件の内容を確
認したのち、学校長からの要請も踏まえて本署からさらに数名の応援警察官が
派遣され、犯人の身柄確保を目指して当日直ちに警察と鉄道駅員らによる張り
込みを実施した。

　そこへ、やはり昨日、一昨日と同様に同じ時刻に容疑者が現れた。生徒たち
は担任の女性教師とともに駅舎から容疑者の顔を確認。生徒らは口々に「あの
人です」「間違いありません」との声。すかさず、警官は逃げる犯人を追跡し、
職務質問、任意同行の後、その日のうちに容疑者は逮捕された。その後の容疑
者の自宅捜査では、多数の盗撮写真と画像データなどが発見され、すべてそれ
らも押収されたという。

　このケースは、非常にうまく学校と警察の連携が行われた事例である。それ
がうまくいった最大の要因は、そもそも、親や教師にも言いにくい性的被害を、
生徒たちがいち早く学校に連絡、相談出来たこと、すなわち生徒と教師間の信
頼関係である。そして、第二にその信頼に応えて管理職を含めた教師集団の組

織的で一貫性のある対処方針が、警察を動かしたといえよう。それだけ、セクシャル・アクシデントの対応には、十分な本人へのケア、保護者との意思疎通、教師間の連携が非常に重要である。それがあって初めて、他の関係機関との連携も図れるのである。特に、警察、児童相談所などは、今日の学校と同様に極めて多くの困難な事例をかかえている。それだけに、学校の意向を受けて緊急かつ十分な対応を得るには、それ相応に「何を相手の機関に求めているのか」という明確な目的とその法的手続を遂行していく備えが学校側にも当然求められるのである。

性にかかわる指導の道しるべ
——自分のからだを、自分で管理できる大人に

　産婦人科医で、『さらば悲しみの性』（高文研、1985 年）の著者としても著名な河野美代子　（河野産婦人科クリニック院長）は、花王株式会社のホームページ内の『からだのノート』（ロリエ初経教育セット）で、「自分のからだを、自分で管理できる大人に」とのタイトルの項で、次のように述べられている。

　お子さんが初経を迎えた方々に、ぜひ知っておいていただきたいことがあります。それは、「自分のからだは自分で管理できる大人になるように」子育てをしなければ、ということです。月経のカレンダーは、自分でつけさせましょう。もちろん、初めの何回かは、保護者の方も一緒に記録されるといいでしょう。でも、あくまでも、主体はお子さんです。

　産婦人科で診療をしていると、月経不順や月経痛で来られる若い女性に、お母さんが付き添っていることがあります。そして、お嬢さんの月経について、すべてお母さんが手帳を見ながら話されるのです。お嬢さんが高校生でも、大学生でも、社会人でも、ときには結婚なさっていても！　「私があなたのからだの管理をしてあげます。それがいちばんいいことだから」……そんな子育てだと、お嬢さん自身に自己管理の力がつきません。将来のパート

ナーに対して、自分自身をきちんと主張できる大人になれるのか不安です。大切なからだの情報については、どんどん伝え、「自分のからだをきちんと知りなさい。知ったうえで、自分で自分のからだの管理ができる、素敵な大人になってね」という子育てをしていただきたいのです。

　性の問題に限らず、生徒からの相談の内容や学校に期待していることは、様々である。ただ話を聞いてほしいときもあれば、教師からのアドバイスがほしいときもあるだろう。また、教師に具体的な対応を欲している場合も少なくはない。本書の読者の多くが、教職を目指す学生や若い教師たちであることを考えると、まず、自分自身の課題として、自分の「性」のあり方を考え、自分で自分の性と生をコントロールする理性と行動力を培うことが「性と生」を子どもたちに語る上での前提条件といわねばならない。セクシャルハラスメントやパワーハラスメントをする人間が真の「教育」を担うことはあり得ない。人間的かつ倫理的な判断力と行動力こそが、生徒・保護者と教師間、教員間、そして人と人の信頼関係の基礎となる。「生徒が何を願って相談してきたのか」など問題状況や生徒理解のアセスメント、そして生徒自身の自己決定を尊重しつつ「児童生徒をいかに導いていくべきか」、「教師と学校に何ができるのか」のプランニングについて、学校として組織的な展望を共有して対応することが重要である。

アクティブ・ラーニング❻　現代の性教育を語るグループワーク

　小学校から高校のあいだに、多くの人は、保健の教科学習、人権教育などの一環としてLHR（ロングホームルーム）や特別活動のなかで、様々な内容で性に関する教育を体験してきたと考えられる。その内容を振り返り、グループで情報共有するとともに、これから自分たちが性に関する指導を生徒たちにするとき、どのような教育をすべきかについて考え、グループで話された内容と「望ましい性の指導のあり方」をまとめてみよう。

88

問題演習 青少年の性にかかわる法律

〈問題〉

性にかかわる (a)〜(c) の各法令の内容説明として、正しくないものを次のな
かから一つ選びなさい。

(a)「児童買春・児童ポルノ禁止法」(児童買春、児童ポルノに係る行為等の
処罰及び児童の保護等に関する法律)

① 「児童」とは18歳未満の者をいい、児童と買春した者は懲役5年以下
    または300万円以下の罰金に処せられる。

② 自己の性的好奇心を満たす目的で、児童ポルノを所持したり、児童ポル
    ノの電磁的データを保管している者は、1年以下の懲役又は100万円以下
    の罰金に処せられる。

③ 脱衣所に隠しカメラを設置したり、階段やエレベータの背後から盗撮し
    たりするなど、児童ポルノを製造した者は、3年以下の懲役又は300万円
    以下の罰金に処せられる

④ 児童買春した者に対する処罰規定は、日本国民が国外で犯した場合は、
    適用されない。

(b) 「出会い系サイト規制法」(インターネット異性紹介事業を利用して児童
を誘引する行為の規制等に関する法律)

① 中学・高校の生徒が「お小遣いくれれば、お茶してもいいよ」などと対
    償を示して異性交際をインターネット上で誘うことは、違法行為となる。

② 「JCかJKで¥3(3万円の意味)で会ってくれる人いませんか」な
    どと「出会い系サイト」に書き込み、性交などの相手方となるように誘引
    することは、処罰対象となる。

③ この法律は、いわゆる「出会い系サイト」の「書き込み」による不正な
    交際の勧誘や誘引を禁止するものであり、実際に買春行為がなくても処罰

第5章●セクシャル・アクシデントと性教育　89

の対象となる。

④　18歳未満の「児童」は、同法の処罰規定にふれる行為をしても、処罰
　　されない。

(c)　母体保護法

①　人工妊娠中絶とは、胎児が、母体外において生命を維持することので
　きない時期に、人工的に、胎児及びその附属物を母体外に排出することを
　いう。

②　身体的また経済的理由により母体の健康を著しく害するおそれのある場
　　合か、暴行、脅迫等による妊娠の場合にかぎって、人工妊娠中絶が認め
　　られている。

③　人工妊娠中絶をおこなえる時期とは、通常妊娠満16週未満であり、
　　16週以上になると中絶はできない。

④　母体保護法に反する堕胎は刑法により処罰対象となる。

〈解答〉

(a)　④　(b)　④　(c)　③

《解説》

　問題 (a) について、旧来の売春防止法が売春側のみの処罰に偏し、児童に対
する「淫行」処罰規定を都道府県等が条例により処罰することも地域的格差や
量刑上の限界があったため全国一律の対応可能な児童買春処罰規定が設けられ
た。さらに日本人男性による海外での買春ツアーも社会問題化したため、国内
外での児童買春等を取り締まる規定がおかれている。よって、海外犯も同法で
処罰されるので、④は誤り。2004（平成16）年改正によって、ポルノ画像デー
タをメール等で送信する行為、児童に一定のポーズを取らせて撮影する行為も
刑罰対象とされ、2014（平成26）年改正では、さらに児童ポルノ画像等の単
純所持も処罰対象とされたほか、盗撮行為も「児童ポルノ製造」罪として厳罰

90

化が図られた。

　問題 (b) の「出会い系サイト規制法」は、インターネット上で対価をもとめて異性交際を誘う行為を処罰しようとするもので、仮に小中学生の児童が同法に違反した場合でも、最高 100 万円の罰金が科される規定となっている。したがって、18 歳未満の児童も罰金刑となる可能性があり、④の説明文は誤りである。児童買春・児童ポルノ禁止法、出会い系サイト規制法におけるこれらの規定については、基本的人権とのかねあいにおいて種々の考察すべき課題があり、その適用の謙抑性も求められるが、これらの法規制の実情を知ることは、生徒指導を行う上で必要性があるといえる。

　問題 (c) の妊娠中絶に関して、母体保護法は、身体的あるいは経済的理由がある場合と暴行等によって妊娠させられた場合に限って医師による中絶を認めている。しかし、それも「胎児が、母体外において、生命を維持できる時期」に達していると診断されると、中絶はできない。その時期は、通常妊娠 22 週以上とされているので、③は明らかに誤りである。中高生が妊娠した場合、その多くが、将来の進路や経済力を考慮して中絶を選択する結果になるが、当事者である本人が妊娠に気づいても、直ぐには親や教師に伝えないケースが多く、学校での様子や友達からの情報によって教師の方が保護者よりも先に妊娠を察知することもある。そのような場合、本人達を中心として、関係者が十分に相談・協議する機会をととのえるとともに、これらの関係法令への基本的な理解と医療機関との連携が極めて重要となってくる。

第6章●問題行動と「チームとしての学校」

　2004年、長崎県・佐世保市でおきた小学生刺殺事件は、小学生の女児による刺殺事件として大きく報道された。その凶行にはカッターナイフが用いられたが、これまでにも、1997年の神戸市須磨区小学生連続殺傷事件で、加害者の中学生が被害者をナイフで切り刻み校門に被害児の頭部を置くといった犯行があり、その翌年1月には栃木県の市立中学で女性教師が中学1年生の男子生徒にナイフで刺殺される事件もおきている。

　佐世保市では、さらに2014年にも高校生が同級生をワンルームマンションで殺害する事件が生じた。また、同年12月には名古屋大学の学生が女性高齢者を下宿先のワンルームマンションに誘い込んで殺害する事件もおきている。翌2015年の北海道音更町の19歳少年が同じアパートに住む女性を殺して放火した事案も含め、これらの事件の加害者には、「人を殺してみたかった」と供述している点に共通性がみられる。

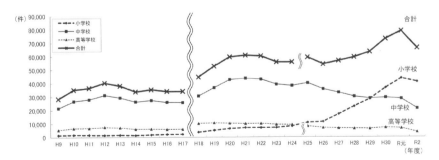

図 6-1 暴力行為発生件数の推移
文部科学省令和2年度 児童生徒の問題行動・不登校等生徒指導上の諸課題に関する調査結果について（2021年）8頁より

個々の事件の背景や加害者・被害者の事情が異なるにせよ、これらの事件が、断続的に起きていることは偶然や例外的なこととはいえない面がある。なぜなら、小・中学校の児童生徒が起こした暴力事件は、増加傾向にある。特に小学校の暴力事件の増加傾向は顕著であり（図6-1）、佐世保市の女子高校生の場合も、小学校時の給食で薬物混入を行ったり、就寝中の父親の顔面を金属バットで殴ったりするなど深刻な問題行動が見られた。名古屋大学女子学生の場合は、高校時代に同級生の飲み物に薬物を入れて失明状態にさせている。このように彼女らは殺人未遂行為を行うなど、殺人事件を引き起こすかなり前から、予兆ともいうべき行動をみせていたのである。

軽い注意にキレる心
——対教師暴力の増加

　文部科学省の調査では、最近10年間（2010-2020年度）の学校内外の暴力行為は5〜7万件台である。校外の暴力行為が全体として減少傾向にあるのに対して、校内の事案は件数・発生率とも、それほどの減少傾向はみられない。いわば、子どもが学校内外でストレスをかかえ、噴出させている状況といってもよいであろう。

　一見ささいなことと思えるような一言から、机やいすを蹴りつけたり、友達と仲良く話をしていたかと思っていると、突然相手を殴りつけたり、平手打ちなどをして気持ちが爆発する。そういう状況が、多くの学校で起きているといってよい。「成績が良くリーダー格、家庭も安定しているとみていた男子に軽い注意をしたとたん、いきなり胸ぐらをつかまれた。どの子が暴発するか読めない」（兵庫県中学教諭）という嘆きは、決してまれなことではない（神戸新聞、2001年8月25日）。このような状況の下で、子どもたちの気持ちをどのように理解し、生徒指導のスタンスと体制を確立していくべきであろうか。

第6章●問題行動と「チームとしての学校」 93

生徒指導提要を読む

『生徒指導提要』は文科省が「生徒指導に関する学校・教職員向けの基本書」（まえがき）として、とりまとめて公刊した（2010年）ものである。

そして、生徒指導の意義を「生徒指導とは、一人一人の児童生徒の人格を尊重し、個性の伸長を図りながら、社会的資質や行動力を高めることを目指して行われる教育活動」と定義する。そして、生徒指導を「すべての児童生徒のそれぞれの人格のよりよき発達を目指すとともに、学校生活がすべての児童生徒にとって有意義で興味深く、充実したものになることを目指」すものとしている（『生徒指導提要』1章冒頭）。

したがって、7章で詳述する「校則」や規律指導においても、児童生徒の主体性を尊重せず、やみくもに規則順守を強要する指導は、その主旨に反するものといってよい。

その意味では、『生徒指導提要』の1章1節において、生徒指導の積極的な意義として「一人一人の児童生徒の健全な成長を促し、児童生徒自ら現在及び将来における自己実現を図っていくための自己指導能力の育成を目指す」ことを挙げ、この自己実現の基礎として、日常の学校生活の場面で「自己選択や自己決定の場や機会を与え、その過程において、教職員が適切に指導や援助を行うことによって、児童生徒を育てていくこと」を示している点は、生徒指導のあるべき姿を示したものである。

生徒指導の課題

『生徒指導提要』は、生徒指導の課題として、(1) 生徒指導の基盤となる児童生徒理解、(2) 望ましい人間関係づくりと集団指導・個別指導、(3) 学校全体で進める生徒指導の3項目を列挙している。

(1) の児童生徒理解については、「児童生徒を多面的・総合的に理解してい

くことが重要」であり、「学級担任・ホームルーム担任の日ごろの人間的な触れ合いに基づくきめ細かい観察や面接などに加えて、学年の教員、教科担任、部活動等の顧問などによるものを含めて、広い視野から児童生徒理解を行うことが大切」(『生徒指導提要』2頁)と述べている。次に (2) の「人間関係づくり」では、「児童生徒一人一人が存在感をもち、共感的な人間関係をはぐくみ、自己決定の場を豊かにもち、自己実現を図っていける望ましい人間関係づくりは極めて重要」とし、「人間関係づくりは教科指導やそれ以外の学校生活のあらゆる場面で行う」必要がある (同書2頁) と記している。そして (3)「学校全体で進める生徒指導」では、「生徒指導が学校全体として組織的、計画的に行われていくことが必要」で、「生徒指導を進めるに当たっては、全教職員の共通理解を図り、学校としての協力体制・指導体制を築くこと」(同書3頁) が不可欠としている。さらに「家庭や地域社会及び関係機関等との連携・協力を密にし、児童生徒の健全育成を広い視野から考える開かれた生徒指導の推進を図ることが重要」(同書3頁) と述べている。

　すなわち、学校内外の連携と協働を求めているといってよい。言い換えれば、生徒指導上の問題について、一教員が抱え込むことなく、校外の関係機関や家庭・地域と共同して問題解決にあたる教員の姿勢と学校の体制が必要とされているのである。

「チームとしての学校」

　2015 (平成27) 年12月に、中央教育審議会が「チームとしての学校の在り方と今後の改善方策について」(中教審第185号) を答申した内容にも、学校全体の組織的対応と関係機関の連携が提言されている。

　同答申では、「社会や経済の変化に伴い、子供や家庭、地域社会も変容し、生徒指導や特別支援教育等に関わる課題が複雑化・多様化しており、学校や教員だけが課題を抱えて対応するのでは、十分に解決することができない課題も増えている」として、より具体的に「教職員一人一人が自らの専門性を発揮す

第6章●問題行動と「チームとしての学校」　95

るとともに、心理や福祉等の専門スタッフ等の参画を得て、課題の解決に求められる専門性や経験を補い、子供の教育活動を充実していくこと」とし、「学校と家庭や地域との連携・協働により、共に子供の成長を支えていく体制を作り、学校や教員が、必要な資質・能力を子供に育むための教育活動に重点を置いて、取り組むことができるようにしていくことが重要である」と述べている。

　児童生徒の問題行動への対応に関する機関連携としては、少年司法機関である家庭裁判所（以下、家裁と略す）、児童相談所[注1]、児童自立支援施設[注2]、そして警察や少年鑑別所、少年院、保護観察所などがある。

家裁・少年鑑別所などとの連携・相談

　家裁は、主に家庭に関する事件の審判・調停、少年保護事件の調査・審判を行う裁判所（裁判所法31条の2～5）である。犯罪をなすおそれのある少年、あるいは犯罪少年や触法少年（14歳未満で刑罰法令に触れる行為をした少年）の処遇決定において中核的役割を担っている。家庭裁判所には家庭裁判所調査官がおかれ（裁判所法61条の2）、心理、社会、福祉、教育等の専門的知見を有する調査官が、家事・少年事件の審判・調停に必要な調査を行い、保護処分（少年院[注3]送致、保護観察処分、児童自立支援施設送致）を決定する。

　なお、保護処分のなかでは、保護観察所[注4]による保護処分となる比率がもっとも高い（図6-2参照）が、事案の多くは審判不開始・不処分となる。また、処分等の決定の前に家裁が必要とみとめれば家裁調査官が主体となって「試験観察」を行い、社会内での少年の更生の可能性を探りつつ、実質的には更生への支援を兼ね備えた活動を行うこともある。

　少年鑑別所は、少年審判や保護処分執行のための鑑別を行う法務省所管の国立の鑑別収容施設である。その主たる業務は、家裁の観護措置決定（少年法17条1）により送致された少年を収容し、医学、心理学、社会学、教育学等の専門知識に基づいて少年の鑑別を行っている。また、それだけではなく、2014（平成26）年には、新たに制定された少年鑑別所法によって、少年鑑別

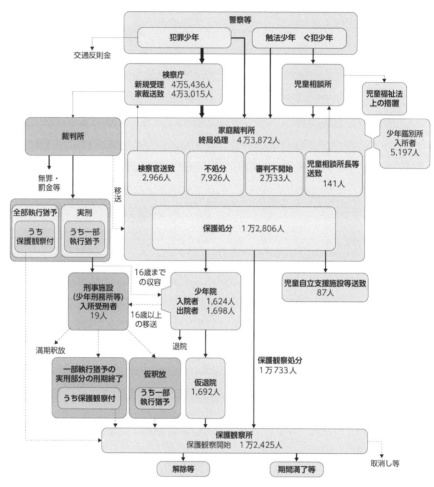

図 6-2 非行少年の処遇手続のながれ
(令和 3 年版『犯罪白書』117 頁より)

所の業務に「非行及び犯罪の防止に関する援助を行う」ことが付加された。非行・犯罪に関する問題や、思春期の子どもたちの行動理解等に関する知識・ノウハウを活用して、地域の非行・犯罪の防止活動や、学校・教育機関、児童福祉機関、ＮＰＯ等の関係機関・団体からの相談や支援要請に応じることができるようになった。非行・犯罪の未然防止に関して、学校が支援や助言を得ることのできる専門機関の門戸が開いたこととなる。

福祉・医療の関係機関との連携

児童虐待の早期発見・早期対応など、児童生徒の健全育成をはかるには、保護者との協力・信頼関係とともに、児童福祉機関や医療機関との連携も問題解決への大きな力となる。スクールソーシャルワーカーを接点として、児童相談所、児童自立支援施設、あるいは民間児童養護施設など児童福祉関係機関とのつながりや、地域の保健所や精神保健福祉センター[注5]など医療・保健関係機関との連携をもつことも非常に重要である。

スクールソーシャルワーカーは、福祉の専門職であり、社会福祉士または精神保健福祉士の有資格者を採用している自治体が多い。その支援の目的は、児童生徒のもつ課題の基盤にある環境や発達上の課題に着目し、問題の要因や背景をアセスメントし、課題解決へプログラミングすることを支援する。具体的には、ケース会議を通じて、児童生徒の多角的・総合的な理解を深めて、保護者、関係教職員等の共通理解を図り、それを前提として関係機関も含めた行動計画（プログラミング）を立て、その実施状況や結果をモニタリングして、問題解決の支援を行うことなど、関係者・関係機関をつなぐことが主要な業務の一つである。不登校やいじめ等のケースでも、子どもたちを取り巻く環境の改善といった視点から、スクールカウンセラーの心理的支援とは異なった観点で問題解決に取り組むことが期待されている。スクールカウンセラーと比較すると表6-1のようになる。

表 6-1 スクールソーシャルワーカーとスクールカウンセラー

	スクールソーシャルワーカー	スクールカウンセラー
共通点	面談業務をメインに行う対人援助の専門職	
専門性	福祉	心理
活動対象	個人と環境の両方への働きかけ	個人のパーソナリティへの働きかけ
業務内容	アセスメントシート等による環境全体からの見立て。それに基づく、家庭・学校・地域間の調整・連携等の間接的支援	カウンセリング等による本人・保護者への直接的援助
活動目標	子どもと子どもをとりまく環境との関係改善や環境自体の改善を支援	子どものよりよい適応や人格発達を促す

　また、摂食障害やリストカットなど精神医療的ケアを必要とする事例も増加傾向にある。これらの生徒の心身の健康回復をめざすうえでも医療・保健機関との協力関係は必須であるといえよう。学校においては、養護教諭が、児童生徒の心身の健康管理に主要な役割を果たしていることは言うまでもないが、学校保健安全法23条は「学校には、学校医を置くものとする」（1項）とし、「大学以外の学校には、学校歯科医及び学校薬剤師を置くものとする」（2項）とされている。そして、「学校医、学校歯科医及び学校薬剤師は、学校における保健管理に関する専門的事項に関し、技術及び指導に従事する」（4項）とされている。したがって、いわゆる学校三師（学校医、学校歯科医、学校薬剤師）は、毎年の検診や学習環境調査をはじめ、学校が医療や薬物等に関して専門的な助言や支援を得るなど、身近な医療分野の連携先といえよう。

　さらに地域住民との連携においては、とりわけ民生委員（児童委員）、主任児童委員、保護司といった地域福祉や更生保護をになう人たちとの情報交換や連携も大切である。

　民生委員は、厚生労働大臣から委嘱され、それぞれの地域において、地域住民の立場から相談に応じ、必要な援助を行っている地域社会福祉のボランティアであり、「児童委員」を兼任している。児童委員は、地域の子どもたちの見守り、子育ての相談先として支援等を行っている。特に、一部の児童委員は児童に関することを専門的に担当する「主任児童委員」の指名を受けて、地域の子ども

たちへの支援を行うボランティアである。

　また、保護司は、保護司法に基づいて、「社会奉仕の精神をもつて、犯罪をした者の改善及び更生を助けるとともに、犯罪の予防のため世論の啓発に努め、もつて地域社会の浄化をはかり、個人及び公共の福祉に寄与することを、その使命とする」(保護司法1条)法務大臣が委嘱する無給の非常勤公務員である。保護観察官と協力して、保護観察の遂行や仮退院者・仮出獄者の帰住のため環境調整、そして地域の犯罪・非行防止活動などを行うが、保護観察や環境調整の実質的な担い手は、直接対象者と接する地域の保護司である。その果たす役割は極めて大きいが、適切な人材を十分に確保するのが難しくなっているのが実情である。

　生徒指導上の深刻な問題が生じた場合でも、これらの学校内外の連携とその支援を力にすることによって問題解決の道筋を切り開くことは可能であり、個々の教師や学校が問題を抱え込むのではなく、適切な連携をより早く取ることが重要である。また、生徒や保護者から見れば、自らの窮地に力強い支援と専門機関につなぐ組織的連携力があればこそ、相談する価値もあり、そのような教師の姿を知ることによって、より深い信頼関係を築くこともできるであろう。

アクティブ・ラーニング❼　生徒指導についてのグループ討議

　「生徒指導とは何か」、「生徒指導の基盤となる児童生徒理解とはどのようなことか」、「学校全体でどのように生徒指導をすすめるか」などについて自分の考えをまとめ、それをグループのなかで発表して他の人がどのような考えをもっているかを知り、そのような意見交換と情報共有から、「自分の考えがどのように進化したり、どのように視野が広がったりしたか」を省察してみよう。また、各グループの討議の内容を発表してみよう。

　なお、前述のテーマを考えるうえで、本書のほか、『生徒指導提要』(文部科学省)なども参考になる。

そのポイントは、学校の全体の協力関係である。校長、教頭らの管理職教員から常勤の教諭（主として教科指導や担任業務を担う教諭のほか、養護教諭、栄養教諭、学校図書館司書、実習助手など）、さらには非常勤の講師やスクールカウンセラー、スクールソーシャルワーカー、学校医、学校歯科医、学校薬剤師など、そして、事務職員、校務員など様々な立場の教職員が「児童の最善の利益」（『子どもの権利条約』3条）を目指して協働することが重要である。さらには学校の教職員ばかりでなく、児童生徒の保護者はもとより、学校評議員^(注6)、部活動コーチなどのボランティアスタッフ、さらには卒業生や近隣地域の住民など、その学校や生徒と関わりのある人たちとの校外連携と協働も豊かな学校教育の進展に不可欠である。

　冒頭に挙げた佐世保市の高校生刺殺事件に関する長崎県教委の調査報告では、生徒が保護者を金属バットで殴打したことなど重要な情報が校内で共有されておらず、また、生徒の主治医であった精神科医から児童相談所への情報提供が生かされなかった機関連携の不備も指摘されている。これらの事件の教訓こそ、学校内外の協力体制の確立である。子どもに関わる人々が「児童・生徒にとっての最善」とは何かをともに考え、協力、連帯することによって、子どもの健全な成長と発達への展望が切り開かれていくのである。

注記
1　児童相談所——児童相談所は、児童の福祉に関する各般の問題につき、家庭その他からの相談に応じ、必要な調査、診断、判定などを行い、その上で指導、援助を行う児童福祉の中核をになう行政機関であり（児童福祉法15条の2）、都道府県と指定都市等に児童相談所を設置する義務がある（児童福祉法15条、59条の4）。児童相談所は、必要に応じて、一時保護・施設入所・里親等委託などを行う他、親権者の親権喪失宣告請求・後見人選任及び解任請求を家庭裁判所に請求するなどの業務も実施する。職員として、児童福祉司、心理判定員、医師、児童指導員、保育士などが配置され、そのチーム・アプローチと合議制による判定と、それに基づく指導・措置が行われる。自治体によっては子ども家庭センター等の呼称を用いているところもある。
2　児童自立支援施設——児童福祉法に定められた児童福祉施設である。同法により「不良行為をなし、又なすおそれのある児童及び家庭環境その他の環境上の理由により生活指導

等を要する児童を入所させ、又は保護者の下から通わせて、個々の児童の状況に応じて必要な指導を行い、その自立を支援することを目的とする施設」（児童福祉法44条）とされている。

なお、児童自立支援施設と同様の児童福祉施設として児童養護施設があるが、これは、「乳児を除いて、保護者のない児童、虐待されている児童その他環境上養護を要する児童を入所させて、これを養護し、あわせてその自立を支援することを目的とする」（児童福祉法41条）。児童養護施設は、都道府県による入所の措置、少年法における保護処分としての児童養護施設送致決定もあり、児童福祉施設退所児童指導実施要項により、退所後1年ほど指導員の訪問と適切な助言・指導といったアフターケアが行われることなどは児童自立支援施設と共通する面もある。また、乳児を対象とする児童福祉施設としては乳児院がある。

3　少年院——少年院法に基づき設置された国の矯正教育施設である。少年院法は2014（平成26）年に全面改正された。同法1条は、家庭裁判所から保護処分として送致された者及び少年院収容受刑者を収容し、これに矯正教育を授ける施設である。同法15条は処遇の原則として「その人権を尊重しつつ、明るく規則正しい環境の下で、その健全な心身の成長を図るとともに、その自覚に訴えて改善更生の意欲を喚起し、並びに自主、自律及び協同の精神を養うことに資するよう行うものとする」（1項）とし、「在院者の処遇に当たっては、医学、心理学、教育学、社会学その他の専門的知識及び技術を活用するとともに、個々の在院者の性格、年齢、経歴、心身の状況及び発達の程度、非行の状況、家庭環境、交友関係その他の事情を踏まえ、その者の最善の利益を考慮して、その者に対する処遇がその特性に応じたものとなるようにしなければならない」（2項）と規定する。

さらに、院内の矯正教育の内容として、生活指導（善良な社会の一員として自立した生活を営むための基礎となる知識及び生活態度を習得させるために必要な指導）、職業指導（勤労意欲を高め、職業上有用な知識及び技能を習得させるために必要な指導）、教科教育（学校教育法による学校教育の内容に準ずる内容の指導）を行うことなどを規定し、教育施設としての位置づけを明確にしている。

少年院は、収容少年の年齢、犯罪傾向の程度及び心身の状況に応じて、第一種（心身に著しい障害がないおおむね12歳以上23歳未満のものを収容）、第二種（心身に著しい障害がない犯罪的傾向が進んだおおむね16歳以上23歳未満のものを収容）、第三種（心身に著しい障害があるおおむね12歳以上26歳未満のものを収容）、第四種（少年院において刑の執行を受ける者）に区分されている。

4　保護観察所——保護観察とは、犯罪者及び非行少年の社会復帰を目的として、一定の遵守事項を守ることを条件に、一定期間、社会内での指導、監督等を行うことであり、少年法による保護処分としての保護観察、刑の執行猶予を言い渡された者に対する保護観察、刑務所の仮出獄者・少年院等の仮退院者に対する保護観察がある（犯罪者予防更生法33

条等）。保護観察所は、この社会内処遇実施の拠点となる法務省所管の行政機関である。保護観察は保護観察官と保護司の協働により行われる。保護司が無給の非常勤公務員であるのに対して、保護観察官は常勤の国家公務員であり、心理学、教育学、社会学等の専門的知識に基づき、保護観察、人格考査その他更生保護・犯罪予防の事務を行う。

5　精神保健福祉センター──精神保健福祉センターは、精神保健の向上及び精神障害者の福祉の増進を図るため、精神保健福祉法（正式名称は「精神保健及び精神障害者福祉に関する法律」）（6条）に基づいて各都道府県に設置されている。その業務は、①精神保健及び精神障害者の福祉に関する知識の普及を図り、調査研究を行ったり、②精神保健及び精神障害者の福祉に関する相談・指導のうち複雑または困難なものを行ったりしている。

6　学校評議員──「学校教育法施行規則等の一部を改正する省令」（平成 12 年 1 月 21 日）によって、学校が地域住民の信頼に応え、家庭や地域と連携協力して一体となって子どもの健やかな成長を図っていくことを目的として、「より一層地域に開かれた学校づくりを推進していく必要がある」として、保護者や地域住民等の意向を把握・反映し、その協力を得るとともに、学校運営の状況等を周知するなど学校としての説明責任を果たしていく観点から、学校や地域の実情等に応じて、その設置者の判断により、学校に学校評議員を置くことができることとなった。また、2017 年 4 月から、地方教育行政の組織及び運営に関する法律（地教行法）に基づき、教育委員会は、「その所管に属する学校ごとに、当該学校の運営及び当該運営への必要な支援に関して協議する機関として、学校運営協議会を置くように努めなければならない」とされた。学校評議員や学校運営協議会等の制度が法令に示されたような本来の目的にそった機能を果たせるかどうかは、今後の各学校の人選と教育委員会等の教育行政の取り組みにかかっているといえよう。

第6章●問題行動と「チームとしての学校」 103

問題演習 精神保健と少年司法

〈問題〉

次の各設問について、番号で答えなさい。

設問 (a)　スクールソーシャルワーカーの説明として、正しくないものを一つ選びなさい。

①平成27年の中央教育審議会では、全国の小中学校に配置する方針が示された。

②心理または医療に関する専門職である。

③社会福祉士または精神保健福祉士の有資格者を採用する自治体が多くなっている。

設問(b)　少年司法制度に関する説明として、正しくないものを一つ選びなさい。

①　家庭裁判所は罪を犯した少年を審判の対象とし、将来罪を犯すおそれがある少年は審判の対象にならない。

②　少年院のなかには、自動車整備などの資格取得のできるところや様々な医療処置をうけることのできるものもある。

③　少年鑑別所は、非行防止などについて、学校や保護者からの相談や支援要請を受け付ける専門機関でもある。

〈解答〉

(a)　②　(b)　①

《解説》

設問 (a) に関して、スクールソーシャルワーカーについて詳細は、本文を参照してもらいたい。具体的な職務内容については、児童生徒の生活や家庭環境などを含む福祉に関する相談や「施設や制度の利用方法を知りたい」など関係

機関への照会、地域の中で安心して暮らすためのサポートなどの対応をしている。問題の背景に家庭環境などの課題をもつ児童・生徒も少なくはないのが現状であり、ソーシャルワークの活用は、今後ますます重要になるであろう。

　設問 (b) に関しては、少年法上の「少年」とは、「20 歳未満の者」であり、そのうち刑法 41 条により 14 歳に満たない者は刑事罰を科されない。しかし、家庭裁判所の少年審判の対象になる少年は、①犯罪少年（14 歳以上の刑法上の罪を犯した少年）、②触法少年（14 歳以下の刑罰法令に触れる行為をした少年）、③虞犯［ぐはん］少年（罪を犯す虞［おそれ］のある少年）の場合である。したがって設問ｂの①は明らかに間違い。なお、少年審判の結果として、もっとも多いものは審判不開始、不処分であり、保護処分に付することなく少年の更生をはかろうとするものであり、問題行動を抱えた生徒にとって、家裁は意外に身近な存在ともいえよう。

第7章◉校則違反と懲戒処分

毎日悩みの服装指導
——頭髪・服装指導の展望

　わが国では、制服を定めて、服飾に関する校則をもつ中学や高校が圧倒的に多い。それにともなって、頭髪加工やピアス等装身具使用の禁止など何らかの服装や身だしなみに関する指導をしている学校が大半である。しかし、指導の対象がファッションと個人の身体に関わるだけに、どのような指導が望ましいのか、議論の多いところであり、同じ学校に勤める教職員の間でも、完全な共通理解と指導方針の一致を得るのは容易ではない。

　ここでは、この問題が厳しく争われた「丸刈り訴訟」や「パーマ退学訴訟」を参考に、教育と法の視点からみて「どこに出ても正々堂々と指導内容を語れる」指導とは何かを示してみたい。また、喫煙・飲酒に対する禁煙・禁酒の指導も、中高生に対する生徒指導としては日常的とさえいえる事柄である。このような指導の場面についても、出席停止や停学などの懲戒処分の本旨に沿いながら、その具体的な指導指針と「あるべき生徒指導」の展望を示しておきたい。

丸刈り訴訟とパーマ退学訴訟の概要

　「丸刈り訴訟」とは熊本県下の町立中学で男子生徒の頭髪を丸刈りとする校則に従わずに自由な髪型で登校し続けた同中学の卒業生が、在学中に教師や生徒からいやがらせを受けたとして、丸刈り校則の無効確認や損害賠償を求めて学校長を提訴した訴訟である。熊本地裁は、校長には教育の実現のために社会

的に合理的な範囲で校則制定の包括的権能があり、丸刈り校則は、その教育目的や効果に疑問の余地はあるが、地域の社会的許容や同校の教育慣行に照らして、著しく不合理な規制内容とはいえないとし、男子生徒側の敗訴となった（熊本地裁判決、昭和60年11月13日、『判例時報』1174号48頁）。「パーマ退学訴訟」は、私立修徳高校三年の女子生徒が卒業目前の1月末に校則で禁止されていたパーマをかけていたなどの理由から自主退学勧告をうけたことについて、その自主退学勧告の処分取り消しを求めて学校を訴えたものである。東京高裁は、自主退学勧告は生徒の身分喪失につながる重大な措置であるから、懲戒に準じ校長・教師の教育的判断おいて特に慎重な考慮が必要とされるが、本件退学勧告は、自主退学にいたる諸事情を考慮すると、社会通念上不合理であったとはいえないとし、これもまた生徒側の敗訴となった（東京高裁判決、平成4年10月30日、『判例時報』1388号3頁）。

このように生徒側の敗訴という両判決の結論だけをみれば、学校の頭髪指導に裁判所のお墨付きがでたものと受け止められがちではあるが、しかしこの二つの判決から導かれる教訓は、それほど単純なものではない。もう少し詳しく判決文をみれば、丸刈り判決では、地域的な特性や本人がすでに卒業している現状、さらに学校が頭髪を刈るなどの強制的措置をとらなかった点に配慮しているし、パーマ退学訴訟では、頭髪違反以外の入学以降の素行全体についても総合的に考慮して退学勧告の妥当性を裁判所が判断している。これらの点こそ、教育実践上、重要視しなくてはならないであろう。

頭髪指導に関する問題は、その時々によって指導対象となる頭髪形態は違うものの、かなり以前から存在する「古くて新しい問題」であるといってよい。例えば、昭和32年に茨城の県立高校で長髪禁止反対運動をした生徒の退学処分事件に関して、水戸地方法務局長が「長髪禁止を校則に定めること自体に問題があり、検討を要する」との勧告をした例は、その一例である（『月刊生徒指導』1973年12月号88頁）。

そのように考えれば、頭髪や服飾についての社会通念の変化にともなって、法的判断にも変化が出てくることは十分考えられるし、茶髪・ピアス禁止の校

則違反を理由として、学校が剃髪や着色などの強制的な措置を強行したり、その違反だけを理由に退学勧告を行うことは違法とされる可能性が相当高いということになる。

　訴訟にまではいたらなくとも、校則等学校のきまりについて、「あまりに細かすぎるのではないか」「生徒の人権を侵しているのではないか」「生徒の自主性が奪われてはいないか」などの批判が、生徒自身や、父母・地域から生じることはまれではない。他方では、「もっと厳しい服装指導をすべきだ」という声が父母・地域から聞こえてくることもある。そのような錯綜したなかで、こうした声に耳を傾けながら、校則についての学校としての基本的な立場を明確にふまえたうえで、指導内容を常に検討し、不適当なものは見直しをしていく必要がある。

　校則指導に対する教師としての基本的な立脚点として、次の三点を挙げておきたい。

⑴　社会的ルールとしての校則がもっている意義と目的を理解させる。
⑵　生徒自身が学校共同体の一員として、全生徒の学習権保障や学校づくりの一翼をになっているという自律と自治の精神を涵養する。
⑶　校則に関する指導を通じて、民主的、平和的な社会の形成者としての「生きる力」を育む。

　このように子どもの成長・発達、あるいは安全で健康的な学校生活を保障していく上で必要な「きまり」については、指導を徹底していく必要がある。むしろ、このような指導が十分にできなければ、生徒からの信頼も得られないであろう。留意すべき点は、地域の実情や社会意識等の変化に応じて、「よりよい校則をどう創造していくのか」という視点である。ソクラテスのように「悪法も法なり」として、校則等による規制や問題を児童・生徒の「我慢」や「辛抱」によって問題解決にすり替えることもまた、生徒や父母の信頼を失うことになりかねない。

校則見直しの基本的視点

　昨今の教育事件を契機として、文部科学省や各教育委員会も、瑣末で形式的な校則についての見直しを学校現場に提起している。例えば、長野県では、次の5つの校則見直しの視点を提起している。

① 　生徒の人権を尊重し、校則等について教育的に十分検討する。
② 　必要以上に細かなきまり、生徒の発達段階及び学校生活の実態にそぐわないきまりについて検討を加える。
③ 　一般社会の常識に照らして、妥当でないきまりについても教育的な検討を加える。
④ 　生徒の心情を十分に理解し、規則の内容に応じ生徒を参画させるなどして適切に校則を定める。
⑤ 　指導が形式的なものにならないように留意し、基本的には、教師と生徒との信頼関係に基づき、生徒自身が積極的に校則を守ろうとする自律的態度を育成するように努める。

　このような視点からみて、問題がある校則は、十分に教師、生徒、父母の間で検討、協議され、改正されなくてはならない。この点について、原則的な合意があったとしても、個々の問題での合意形成は決して、容易ではない。現実に、規則の内容や指導の程度に、かなりの地域差や学校ごとの違いがあり、制服の着用を規定し、頭髪や服飾に関する校則を定め、茶髪やピアスなどの装身具をつけた生徒に対して、何らかの指導をしている学校でも、その指導基準や対応に違いが生じやすく、いつ、どこまで指導していけばよいのか、一教師として私自身も日々悩みはつきない。そこで次に、「髪の毛を染めてきた生徒やピアスをつけた生徒に教師は干渉すべきでないのか」が教育実践上の問題となる。この点について、ここでもう少し述べておきたい。

茶髪・ピアスの指導はどのようにすべきか？　すべきではないのか？

　この点について専門家の多くは、前述のような有無を言わさぬ抑圧的な規制を批判しつつ、他方では教育的指導の必要性を認めている（例えば永井憲一他監修『子どもの人権大辞典』の「丸刈り事件判決」［結城忠執筆］）。丸刈り拒否の自由やパーマ解禁を主張する論者も、脱色、部分染等が「学習環境への違和感を感じさせる」ことは認め、校則を「生徒と親の基本的合意にもとづいて遵守を求める生活指導規定」とした上で、校則違反を「学校側の指導助言に対する不服従である」ととらえ、その不服従に対して「さらなる生活指導の対象となる」ことを否定しているわけではない（市川須美子「丸刈り・髪型裁判と子どもの人権」『季刊教育法』79 号 23-28 頁 1990 年）。しばしば、「権力的」生徒指導を主張する一部の教育論者が「人権派」法律家を目の敵に「『人権派』がわがままな生徒を増長させ、生徒指導を一方的に批判する」等と主張しているが、的を射たものとは言いがたい。

　老若男女にかかわらず茶髪の人が多くなっている昨今の風潮からすれば、茶髪の生徒が問題をかかえているとは必ずしも言えないが、髪を染めたり、ピアスをしたりしてきたとき、「これまでの自分とは違うなにかになりたい」とか、「気分を変えたくて」など、その生徒の内面的な部分にも何らかの変化がある場合も考えられる。そのような機会に教師の側が何ら関わろうとしないのでは、生徒指導は成り立たない。問題はその時の教師の指導の基本的姿勢である。懲戒処分をちらつかせて強圧的に規制するような指導は、決して教育的ではないし、法的にも問題であることは前述の通りである。

　そういう指導の際、私は最初に「茶髪やピアスをしている人が人間的にダメだとか悪いとは思わない」と断ってから、「髪を染めた自分自身をどう思っているのか」、「どういう動機でピアスをしたのか」などを聞き出すよう努めている。そして、「ちょっと大人になった気分」とか、「何もおもしろいことないし、

何となくムシャクシャして…」などと聞くと、「本当に自分をよい方向に変えていきたいと思うなら、そういうことだけでは何も変わらないよ」とか、「何か相談したい時には話しにきなさい」と声をかけたりしつつ、「赤い髪は似合わないよ」とか「ピアスの穴を次々あけて、まるで自分で自分をいじめているみたいな姿はみたくない」とこちらの気持ちも率直に伝えるようにしている。そして、子どもが奇抜な髪型やピアスをつけはじめると、家庭でも、父母が対応に苦慮している場合も少なくはないので、保護者とも連絡をとり、学習態度や対人関係にも変化が見られる場合には、学年担当教師や教科担当などの教員と父母が互いに相談したり、情報交換をしたりする組織的で連携のとれた対応がもとめられる。

指導と「抑圧」

　頭髪や服装指導について教師と生徒・父母との間に考え方や感覚の違いがあることは多い。それでも教師に子どもを人間的に成長させたいという共通の願いがある限り、服装等に関する指導を一つの足がかりに、建設的な話し合いを始めることは可能であり、必要なことであるといえよう。それは、結果として「生徒の画一化」を目指す抑圧的指導とは、本質的に異なる。

　例えば新聞投書欄「十代の声」に掲載されたK君の「髪の色とピアス　自己表現の手段」という投稿（産経新聞 1998 年 11 月 12 日）は、「髪の色やピアスというのは自己をアピールする一つの方法だから、それを『すぐとれ』というのはひどい」そして「そういう声を先生は聞いてほしい」と書いている。生徒指導に限らず、教科学習や特別活動などすべての教育活動の場面で、教師と生徒との信頼関係なしに教育的指導は成り立たない。社会一般の常識から違和感をもたれるような校則指導は、その信頼関係にマイナスの効果をもたらすことになりかねないということに十分に留意すべきである。少なくとも、生徒の言い分や批判の声にも耳を傾けつつ、校則遵守の意味を生徒たちが十分納得できるように話をしながら校則指導をすすめていくことは必須の最低条件であ

る。

　実は先の投書は、私の勤務校の生徒が小論文学習の一環として作成したもの
で、公民科教員を中心に、学校全体として取り組んだ成果の一つである（吉
田卓司「『生きる力』を育む小論文学習」『月刊兵庫教育』平成11年2月号）。
どのような校則も時代の変化にともなって、改変すべき必要性が生じうる。そ
のような場合、このK君のような意見を封殺するのでなく、むしろこの「茶髪・
ピアス」論争を機会に「どういう高校生活をすごしたいのか」「自分の学校を
どんな学校にしていきたいのか」について、生徒たちとともに私たち教師も一
緒に試行錯誤し、教師が生徒や父母とともに、よりよい学校づくりを展望して
校則改正に取り組むことは、民主的なルールづくりを「実体験として学ぶ」と
いう意味で非常に意義深いことである。K君のように、この問題を通じて自分
を主張する力を育て、それを多くの教員が受け止めていくという取り組みこそ、
望ましい校則指導であるといえよう。

違法行為の指導
——喫煙・飲酒から刑法犯まで

　中高生が違法行為をしたことによって指導の対象になる例は少なくない。そ
の指導内容も教育法規上の懲戒処分として公式統計に明らかになるものもあれ
ば、逆に担当教師による指導にとどまって公的には統計に表れない事例もかな
りの数にのぼるであろう。そのような指導例が一年を通じて、全くないという
学校は少ないように思われる。それだけ、量的にも数多く、かつ法令違反行為
だけでも、喫煙・飲酒、無免許運転等の交通法規違反、暴力行為、万引きなど、
その種類はさまざまである。そして、これに対する教師側の対応の仕方も一様
ではない。その学校でこれまでに生じた同様の事例を参考にしながら対応を決
めていくこともあるだろうし、問題行動の客観的な行為や結果は同一でも被害
者や加害者の事情や意向によって学校の対応が違ってくる場合もある。言い換
えれば、どのような法令・校則違反に対しても、誰にでも、そしてどの学校に

も当てはまるような絶対的な指導手段や方法はないといってよい。

　それでもなお、このような場面での指導と懲戒には、一定の基本理念というべきものがある。それは、いかなる問題行為への処分であっても、それが指導であり、教育の一環として行われる以上は、その処分は「その児童生徒にとっての最善の利益を考慮したもの」（子どもの権利条約第3条）でなくてはならない、ということである。例えば、義務教育諸学校の場合には、他の児童への危害のおそれがある場合等に「出席停止」を命じることができるし、高等学校等の場合にも性行不良等の生徒に対して停学や退学等の懲戒処分が行えると法定されている。それが他者への権利侵害行為や違法行為に対する措置である以上、その対応が、事実上、懲罰的な要素をもつことは否定しがたい。それでもなお、その処分を受ける期間、あるいは処分にいたるまでの過程で、教師が教育的に関わることは必要不可欠である。その指導のなかで生徒たちが成長と更生をとげることができるように支援する姿勢を失ってはならない。

　もっとも分かりやすい例は、オートバイの事故を起こした生徒への対応であろう。たとえその事故が無免許運転等の悪質な違法行為によるものであったとしても、まず担当教師が心を砕くことは、その生徒の怪我の程度や生命の危険への心配ではなかろうか。その思いを本人・保護者らと共有できてこそ、それに続く、二度と事故を起こさない交通安全指導に生徒・保護者・教師が一体となって取り組めるのである。仮に、そのような信頼関係がなければ、教師の叱責の言葉も生徒の心には届かないだろうし、教師と保護者が協力して指導をすすめていくことは難しいだろう。「出席停止」にせよ「停学」にせよ、児童・生徒が学校から離れている間、その機会にその子どもたちが自己の行為を見つめ直せるように、教師としてできるかぎりの配慮をすることが求められる。

　喫煙に対する生徒指導が訴訟となった例もある。そこでは、卒業間近の高校3年生が喫煙を理由に退学処分を受け、その処分の妥当性が問題とされた。この訴訟の被告となった私立学校では、「見つかれば退学というような威嚇によって喫煙を減らす」という指導の方針があり、その下でおきた裁判であった。これは、いわば「見せしめ」としての処分であって、そこに教育的な内容をみる

ことはできないし、そのような指導姿勢によって、豊かな人間性が育つとは思われない。では、喫煙している生徒への建設的な指導とは何か。それは、自らの喫煙行為を率直に反省することにつきる。そして、自らの努力と決断によって、少なくとも未成年時の喫煙をやめることである。

前述の服装規定等の違反と異なり、法令違反行為に対する指導は、問題行動をいかに自律的に抑止できるかが課題である。学校としての教育力によって、その克己心を育てることが、目標とされねばならない。喫煙指導に関しては、まず、なぜ煙草を吸ってはいけないのかという法令上の根拠（未成年者喫煙禁止法）、さらに喫煙の健康上の問題、他者への影響（自分個人の問題だけではない）といった事柄を具体的に理解させる指導を根気よく続けることである。とりわけ習慣化した喫煙者の場合禁煙には時間もかかるが、禁煙への取り組み方や禁煙のための情報提供など、その努力を支えるアドバイスや支援が必要である。また、飲酒に関しても、それが禁止されている法令上の根拠（未成年者飲酒禁止法）も明確に示しつつ、無謀な飲酒が死を招いた事例や無理な「一気飲み」を勧めた友達が遺族から損害賠償訴訟を提訴された事例（熊本大学医学部漕艇部急性アルコール中毒死裁判）などを紹介することも有益である。

薬物乱用事案への取り組み
──不可欠な学外機関との連携

未成年者の飲酒・喫煙が法令によって禁止されていることは未成年者飲酒禁止法及び未成年者喫煙禁止法の各1条に記されているとおりだが、これらの法律は、酒・煙草の没収・破棄ができること以外には、飲酒・喫煙した未成年者を処罰する規定は存在しない。科料、罰金等の刑罰を科されるのは、酒・煙草を未成年者が用いることがわかっているのに販売した事業者や喫煙を制止しなかった親権者など、大人の側に限られている。

これに対して、違法薬物は所持自体が違法行為である。例えば、覚せい剤の単純所持で懲役10年以下の懲役、大麻で5年以下の懲役など、危険ドラック

や向精神薬等も含めて、所持自体が犯罪行為となる。したがって、違法薬物の使用を疑われるような状況があれば、その証拠物（注射器、アルミ箔や小ビンなど）も含めて現況に手をつけず、メールの送受信記録なども確実に保存して、直ちに警察による捜査を要請しなければならない。薬物は、煙草や酒類と異なり、その吸殻や空きビン等をゴミとして処理したり、学校で保管することができない。教員はもとより、学校としても、違法薬物の保管・破棄は法律によって許されていないからである。したがって、違法薬物使用の疑いがある状況やこれに係る物品に関して、現状変更をしたり、証拠物を破棄したりすることは、証拠隠滅罪ともなりかねないのである（刑法104条）。

　また、薬物依存症の疑いがある生徒の存在に気付いた場合、学校は、各都道府県に設置されている精神保健福祉センターをはじめとする医療機関へ速やか

アクティブ・ラーニング❽　『生徒指導提要』を活用したグループ・プレゼンテーション

　『生徒指導提要』（文部科学省）を参考に「校則とは何か」について、共通理解をしたうえで、「校則の運用（規律指導）において配慮すべきことは何か」、「校則の見直しをすすめるうえで大切な視点は何か」をグループで話し合い、その「配慮すべき点」、「大切な視点」を、他の人にレクチャーするつもりで要点をまとめ、グループでまとめた考えをプレゼンテーション（解説）してみよう。

　また、『生徒指導提要』5章「教育相談」を参考に「学校における教育相談の利点と課題（学校における教育相談の特質）」などを各グループで内容をまとめて、他のメンバーに教え合うとか、6章Ⅱ「個別の課題を抱える児童生徒への指導」から喫煙・飲酒・薬物、いじめ、インターネット・携帯電話にかかわる課題、性に関する課題など、それぞれの課題について、どのような問題行動の予防教育ができるかを考えて、ホームルームや学年での指導案を作成し模擬授業をすることも良い経験となるだろう。

に相談するべきである。

いずれにしても、非行、犯罪に関するトラブルは、そのようなことが生じる前に予防的に指導すること、すなわち後追い指導ではなく先手をうつ生徒指導が望ましい。

薬物乱用、喫煙・飲酒、万引き、暴力など個々の問題行動別の指導例、あるいは重大な結果を生じた事例を乗り越えた優れた実践例は、これまで既に数多く書籍、雑誌（例えば、学事出版『月刊生徒指導』、明治図書『生活指導』等）において公刊されている。また、国立教育政策研究所の生徒指導リーフ・シリーズの「学校と警察の連携」(12号)も、被害届の提出等の実務に関して警察との具体的な関わり方を知る参考になる。それらの実践例に学びつつ、自らの生徒指導のスタイルを磨き上げ、学校としての組織的かつ計画的な生徒指導計画を立案、実施し、さらにその振り返りを生かした教育実践を積み重ねてもらいたいと願っている。

116

問題演習 出席停止と懲戒処分

〈問題〉

次の (a) 出席停止及び (b) 生徒懲戒に関する説明文として、誤っているものを一つ選び、番号で答えなさい。

(a) 学校教育法 35 条に基づく出席停止

① 出席停止を命じることができる権限は各義務教育諸学校校長にある。

② 他の児童の教育に妨げがあると認められた場合には出席停止を命じることができる。

③ 職員に傷害又は心身の苦痛を与える行為を繰り返した場合にも出席停止を命じることができる。

④ 出席停止の措置は、加害児童に対する懲戒ではなく、学校の秩序維持と他の児童生徒の義務教育を受ける権利の保障という観点から設けられたものである。

⑤ 出席停止期間、その児童の学習支援など必要な措置を講じなくてはならない。

(b) 学校教育法 11 条及び同施行規則 13 条に基づく生徒懲戒

① 校長は、懲戒のうち、退学、停学及び訓告を行う権限をもつ。

② 学力劣等で成業の見込みがないことを理由に退学処分にすることはできない。

③ 性行不良で改善の見込みがない生徒を退学処分にすることができる。

④ 校長及び教員は児童生徒に対する懲戒権をもつが、体罰は禁じられている。

⑤ 義務教育期間の学齢にある児童生徒を停学処分にすることはできない。

第 7 章◉校則違反と懲戒処分　117

〈解答〉

(a)　①　(b)　②

《解説》

　生徒指導に関わる法令についての理解を問う問題である。問題 (a) に関して、出席停止命令の権限は市町村教育委員会にある（学校教育法 35 条）ので、①は誤りである。④については、文部省初中局長通知（昭和 58 年 12 月 5 日）に、「出席停止の措置は、本人に対する懲戒という観点からではなく、学校の秩序を維持し、他の児童生徒の義務教育を受ける権利を保障する観点から設けられている」と明示されている。②、③、⑤はいずれも同法 35 条に規定されているとおりである。問題 (b) に関しては、学校教育法施行規則 26 条が退学処分の要件として (1) 性行不良で改善の見込みがない者 (2) 学力劣等で成業の見込みがない者 (3) 正当な理由がなく出席が常でない者 (4) 学校の秩序を乱し学生・生徒としての本分に反する者の 4 つを挙げているので、②が間違っている。なお、④は同施行規則 26 条 4 項、⑤は学校教育法 11 条に規定されている。教師にも懲戒権行使が法律上認められているが、その行使は教育的なものであることが教育条理上当然の条件であり、その乱用は認められない。体罰禁止規定の関係で、どのような行為が体罰に該当するのかについて理解しておく必要がある。詳しくは本書の第 1 章と資料編の「児童懲戒権の限界について」（法務調査意見長官回答）を参照してもらいたい。

補章◉教員採用試験から見た「求められる教師像」

『生徒指導提要』は、第1章冒頭で「生徒指導とは、一人一人の児童生徒の人格を尊重し、個性の伸長を図りながら、社会的資質や行動力を高めることを目指して行われる教育活動」であると記している。それでは、具体的にどのような指導を実践することが求められているのか、そして、それができる人材をどのように見極めようとしているのか。それを明らかにするための判断材料として、各教育委員会が作成する教員採用試験の出題例は、大変有用な教材である。

ここでは、筆答試験と面接試験の実例をいくつか提示し、今日の教育状況のなかで「求められる教師像」を考えてみたい。

［筆答試験］

「人権教育」（長崎県）

問1　次は、国が策定した「人権教育・啓発に関する基本計画」の一部である。（①）〜（⑤）に当てはまる語句を語群からそれぞれ1つずつ選び、記号で答えよ。

人権とは、人間の（　①　）に基づいて各人が持っている固有の（　②　）であり、社会を構成するすべての人々が個人としての生存と（　③　）を確保し、社会において幸福な生活を営むために欠かすことのできない権利である。

すべての人々が人権を享有し、（　④　）で豊かな社会を実現するためには、人権が国民相互の間において共に尊重されることが必要であるが、そのためには、各人の人権が調和的に行使されること、すなわち、「人権の（　⑤　）」

が達成されることが重要であろう。

（語群）

> ア．責任　イ．権利　ウ．共存　エ．社会　オ．平等　カ．尊厳　キ．人
> 格　　ク．生存　ケ．自由　コ．平和

＜解答＞

①－カ　②－イ　③－ケ　④－コ　⑤－ウ

＜解説＞

　教職教養として、また生徒指導の基盤として、人権に関する理解は必須である。日本国憲法や国際条約の人権規定のほか、平成14年に策定され平成23年に変更された人権教育・啓発に関する基本計画（閣議決定）、及び文科省「人権教育の指導方法等に関する調査研究会議」による「人権教育の指導方法等の在り方について［第三次とりまとめ］」（平成20年）は、今日の人権教育の基本的指針とされるものであり、また、各都道府県や政令市が定めた人権教育の計画や指針を有する場合は、それらも参照しておく必要がある。

「いじめ」（大阪府・東京都）

（1）次は、「いじめの防止等のための基本的な方針」（平成25年10月11日文部科学大臣決定）からの出題である。各問いに答えよ。

　問1　次の文は、この方針の中のいじめの防止等に関する基本的考え方の一部である。空欄A〜Cに、下のア〜カのいずれかの語句を入れてこの文を完成させる場合、正しい組合せはどれか。1〜5から一つ選べ。

　いじめは、どの子供にも、どの学校でも起こりうることを踏まえ、より根本的

補章◉教員採用試験から見た「求められる教師像」　121

ないじめの問題克服のためには、全ての児童生徒を対象としたいじめの　A
の観点が重要であり、全ての児童生徒を、いじめに向かわせることなく、心の
通う対人関係を構築できる社会性のある大人へと育み、いじめを生まない土壌
をつくるために、　B　が一体となった継続的な取組が必要である。

　このため、学校の教育活動全体を通じ、全ての児童生徒に「いじめは決して
許されない」ことの理解を促し、児童生徒の豊かな情操や道徳心、自分の存在
と他人の存在を等しく認め、お互いの人格を　C　し合える態度など、心の通
う人間関係を構築する能力の素地を養うことが必要である。

　　ア　実態調査　　　イ　未然防止　　　ウ　尊重
　　エ　教職員　　　　オ　重視　　　　　カ　関係者

	A	B	C
1	ア	エ	ウ
2	イ	カ	ウ
3	イ	エ	オ
4	ア	カ	オ
5	イ	エ	ウ

　問2　次の各文のうち、この方針に書かれている内容として、誤っているも
ののみをすべて挙げているものはどれか。1～5から一つ選べ。

　A　いじめの早期発見は、いじめへの迅速な対処の前提であり、全ての大人
が連携し、児童生徒のささいな変化に気付く力を高めることが必要である。こ
のため、いじめは大人の目に付きにくい時間や場所で行われたり、遊びやふざ
けあいを装って行われたりするなど、大人が気付きにくく判断しにくい形で行
われることを認識し、ささいな兆候であっても、いじめではないかとの疑いを

122

持って、早い段階から的確に関わりを持ち、いじめを隠したり軽視したりすることなく積極的にいじめを認知することが必要である。

　B　いじめの問題への対応においては、学校や教育委員会においていじめる児童生徒に対して必要な教育上の指導を行うのではなく、警察や児童相談所等の関係機関にゆだねることが重要であることから、平素より、学校や学校の設置者と関係機関の担当者の窓口交換や連絡会議の開催などを最優先して連携強化を図ることが必要である。

　C　いじめの早期発見のため、学校や学校の設置者は、定期的なアンケート調査や教育相談の実施、電話相談窓口の周知等により、児童生徒がいじめを訴えやすい体制を整えるとともに、地域、家庭と連携して児童生徒を見守ることが必要である。

　D　いじめがあることが確認された場合、学校は直ちに、いじめを受けた児童生徒やいじめを知らせてきた児童生徒の安全を確保し、いじめたとされる児童生徒に対して事情を確認した上で適切に指導する等、組織的な対応を行うことが必要である。

　　　1　　B
　　　2　　C
　　　3　　A　　C
　　　4　　A　　D
　　　5　　B　　D

＜解答＞　問 1-2　問 2-1

　(2)　次の「いじめ防止対策推進法」に関する記述ア～オのうち、正しいものを選んだ組合せとして 適切なものは、下の 1 ～ 5 のうちのどれか。

　ア「インターネットを通じて行われるいじめに対する対策の推進」について、「インターネットを通じていじめが行われた場合において、当該いじめを受け

た児童等又はその保護者は、当該いじめに係る情報の削除を求めるときは、必要に応じ、法務局又は地方法務局の協力を求めることができるが、発信者情報の開示を請求することはできない。」と示されている。

イ「学校におけるいじめの防止等の対策のための組織」について、「学校は、当該学校におけるいじめの防止等に関する措置を実効的に行うため、心理、福祉等に関する専門的な知識を有する者その他の関係者により構成されるいじめの防止等の対策のための組織を置くものとするが、当該学校の教職員はこの組織の委員となることはできない。」と示されている。

ウ「学校におけるいじめの防止」について、「学校の設置者及びその設置する学校は、児童等の豊かな情操と道徳心を培い、心の通う対人交流の能力の素地を養うことがいじめの防止に資することを踏まえ、全ての教育活動を通じた道徳教育及び体験活動等の充実を図らなければならない。」と示されている。

エ「いじめに対する措置」について、「学校は、いじめが犯罪行為として取り扱われるべきものであると認めるときは所轄警察署と連携してこれに対処するものとし、当該学校に在籍する児童等の生命、身体又は財産に重大な被害が生じるおそれがあるときは直ちに所轄警察署に通報し、適切に、援助を求めなければならない。」と示されている。

オ「公立の学校に係る対処」について、「地方公共団体が設置する学校は、いじめにより当該学校に在籍する児童等の生命、心身又は財産に重大な被害が生じた疑いがあると認めるときは、その緊急性から、当該地方公共団体の教育委員会を通さず、重大事態が発生した旨を、当該地方公共団体の長に報告しなければならない。」と示されている。

1　ア・イ
2　ア・ウ
3　イ・オ
4　ウ・エ
5　エ・オ

124

＜解答＞　4

＜解説＞いじめに関する出題は、生徒指導関連分野の再頻出事項である。いじめ防止対策推進法など、具体的な対応方針や指導の原則を十分に理解し、後述のようにロールプレイにおいても実践できる準備が必要である。

「不登校と児童虐待」（大阪府）

(1) 次の各文のうち、生徒指導提要（平成22年3月文部科学省）の中の不登校に対する基本的な考え方に関する記述の内容として誤っているもののみをすべて挙げているものはどれか。1〜5から一つ選べ。

A　不登校の解決に当たっては、「心の問題」としてのみとらえるのではなく、広く「進路の問題」としてとらえることが大切です。ここでいう「進路の問題」というのは、狭義の進路選択という意味ではなく、不登校の児童生徒が一人一人の個性を生かし社会へと参加しつつ充実した人生を過ごしていくための道筋を築いていく活動への援助をいいます。

B　不登校については原因も状態像も複雑化・多様化していることもあり、連携すべき専門機関は多岐にわたります。教育センターや教育支援センター、児童相談所などの公的機関だけでなく、民間施設やNPO等とも積極的に連携し、相互に協力・補完しつつ対応に当たることが重要です。

C　「不登校の児童生徒にとって居心地のいい学校」は「すべての児童生徒にとっても居心地のいい学校」になるという視点から、すべての児童生徒が楽しく通えるような学校教育が目指されるべきだと考えられます。とりわけ、入学・進学など、成長の節目においては学校や学年の移行が円滑に進むよう細やかな配慮が求められます。

D　学校に行くことに大きな葛藤を抱え、登校時間になると頭痛や腹痛などの身体症状を出す神経症的な不登校に対しては、児童生徒からの自発的な相談があるまで、その原因は探らず「待つこと」に専念しなければなりません。そ

して、本人から相談があったときに初めて、本人の思いを傾聴し、見極め（アセスメント）を行った上で、適切な働きかけやかかわりを持つことが必要です。

　E　不登校の児童生徒と直接向き合っている保護者の不安や悩みはたいへん大きく、時にそれが児童生徒の心身の状態に影響を及ぼすこともあります。こうした保護者を支援し、児童生徒のみならず家庭に対し適切な働きかけや支援を行うことが、不登校児童生徒本人にも間接的な効果を及ぼすものと期待されます。

　　1　　A　　D　　E
　　2　　A　　E
　　3　　B　　C
　　4　　D
　　5　　E

　(2)　次は、児童虐待に関連した出題である。各問いに答えよ。
　問1　学校の教職員は、児童虐待の早期発見に努めなければならないとされている。次のうち、このことが規定されている法律として正しいものはどれか。1 〜 5 から一つ選べ。

　　1　学校教育法
　　2　社会教育法
　　3　教育基本法
　　4　児童虐待の防止等に関する法律
　　5　教育公務員特例法

　問2　次の各文のうち、「児童虐待の防止等のための学校、教育委員会等の的確な対応について」（平成 22 年 3 月 24 日　文部科学省）の内容として正し

126

いものを○、誤っているものを×とした場合、正しい組合せはどれか。1 ～ 5 から一つ選べ。

A 児童虐待の早期発見の観点から、幼児児童生徒の心身の健康に関し健康相談を行うとともに、幼児児童生徒の健康状態の日常的な観察により、その心身の状況を適切に把握すること。

B 児童虐待に係る通告について、児童虐待を受けたと思われる幼児児童生徒を発見した場合は、虐待の事実を確認の上、速やかに、これを市町村、児童相談所等に通告しなければならない。

C 児童虐待に係る通告を行った幼児児童生徒について、通告後に市町村又は児童相談所に対し、定期的な情報提供を行っている場合は、学校等において、新たに把握した児童虐待の兆候や状況の変化等を、定められた期日に、適切に情報提供を行うこと。

D 健康診断においては、身体測定、内科検診や歯科検診を始めとする各種の検診や検査が行われることから、それらを通して身体的虐待及び保護者としての監護を著しく怠ること（いわゆるネグレクト）を早期に発見しやすい機会であることに留意すること。

	A	B	C	D
1	×	×	○	○
2	×	○	×	×
3	○	×	×	○
4	○	×	○	×
5	○	○	×	○

＜解答＞

(1) 4　　(2) 問1-4　　問2-3

＜解説＞

本書4章に記したように、不登校の児童生徒への対応は、非常に多くの学校

補章●教員採用試験から見た「求められる教師像」 127

が抱えている課題である。また、その対応は個々の事例ごとに働きかけと見守りのバランスを考慮する必要がある。また、虐待対応についても、近年虐待通告事例は増加しており、学校が早期発見・早期対応に果たす役割は大きくなっている。その際、被虐待児の発見に際して、保護者に事実確認することは、虐待の苛烈化や隠蔽を招く危険がある。児童虐待防止法も虐待の「おそれ」（可能性）があることを通告義務の要件としているので、教員が虐待事実の証明をする必要はなく、直ちに通告義務を果たすべきである（次の会議や報告期日を待つべきでない）。

［面接試験］（大阪府、大阪市、愛知県、兵庫県）

「質疑応答」

・コミュニケーション能力で自分に欠けている点は何か（体験を入れて）、その点は、どう改善するか。
・家庭訪問で気をつけることは何か。また、生徒指導等において、保護者と意見が違ったとき、どう対応するか。
・今の気持ちを色で例えれば何色ですか。
・教育実習でよくできた点、また、できなかった点は何か。
・最近の子どもに足りないことは何か。また教師になったらそれをどう伝えていくか。
・教師になったときの不安要素は何か。また、その不安やストレスがあるときに、あなたは、これまでどのような方法で、それを解消しているか。
・(前年受験して不合格だった場合)去年何がいけなかったと分析しているか。それを今年の試験に向けてどう克服したか。
・(非常勤講師をしている場合）現在講師として勤務している学校の特色や教育方針は何か。
・教員に必要な資質は何か。 また、その資質向上のために、あなたが取り組んでいること。

・「わたしを採らないと損するぞ」という思いをこめて、1分間で自己アピールをしなさい。

・教育に関連する法律が相次いで改正されたが、一つ例を挙げて法律名と内容をいいなさい。

・本県における取り組みで他府県にない独自のものは何か。

<解説>

質問の内容としては、筆答試験と同様に、採用する都道府県・政令市の独自の教育目標や教育課題、日本の教育制度改革の内容、教員としての服務規律などを問われることもある。また、受験者個人の資質については、自分の欠点や失敗例を具体的に示したうえで、その克服法を問われることも多い。様々な状況を想定した準備を整える必要がある。しかし、解答が困難な質問も少なくない。想定外のことも起こり得るという前提で、自分らしさを失わない落ち着いた態度こそが求められているといえよう。

［ロールプレイ］（愛知県、大阪府、兵庫県）

・「子どもの数学の成績が下がってきている。先生の教え方が悪い」という保護者への対応をしてください（受験者の専門科目は数学以外）。

・生徒Aと生徒Bが喧嘩して生徒Aが一方的に殴る事件が生じた。他の先生が二人ともに指導するが、殴った生徒Aには特別指導が行われることになった。生徒Aの親が、A一人の責任にされたと怒鳴り込できた。このような時の保護者対応をしなさい。

・校区内の地域住民からの電話で生徒がケガをしているという連絡をうけた。その電話の対応と電話をきった後どのような行動をとるか。

・初任者として赴任した学校での学校教職員へ向けての初めての挨拶をしなさい。

・生徒が茶髪で登校して来たので、注意をしたところ、生徒に「先生にも茶

髪の人がいるからいいじゃん」と言われた。この生徒に対して対応しなさい。

・入学式後の初めてのホームルームで、担任として生徒（中学生）にあいさつしなさい。

<解説>

自己アピールが、時間や状況（想定する相手）など一定の前提条件つきのロールプレイのかたちで課されることがある。また、保護者対応、問題発生時の生徒指導など、現場で起こり得る状況が再現され、それに対応しなければならない。児童生徒の気持ちに寄り添う姿勢を言動で示し、保護者と教師は同じように子どものためを思う存在であることの共通認識にたって、言葉を紡ぎだしていってもらいたい。また、様々な出来事の事後対応としては、問題を一人で抱え込まず、他の教職員と連携して取り組む基本姿勢が大切である。

［集団討論］（兵庫県、愛媛県、北九州市）

・様々な問題が起きているがインターネットや携帯電話の問題について家庭、学校でどのように指導していくべきか。

・学校・地域・家庭の連携の大切さが言われているが、どのように地域に開かれた学校にしていくか。

・日本の英語教育は中国や韓国と比較してどう思うか。

・○○科教師のスキルを改善するためには、どのような研修が必要だと考えるか。

・20年後の日本における学校教育はどのようになっているか。

<解説>

まず、一人の教育者として、日々教育に関するニュースなどに触れ、自分自身の考えを持ち、自己の教育観、生徒観の軸を作り上げていく努力が必要であ

る。そして、集団討議では、その考えを端的にわかりやすく話すことが求められる。1回の発言で1分以上話すことはNGと考えてよい。また、他者の発言を聞き、それに応じた討議のファシリテートを行う対話促進力も示せれば、なおよいであろう。教員だけでなく組織の中で働く社会人は、限られた時間で情報共有や集団的意思決定をする機会が少なくない。だからこそ、単に自己主張するのでなく、他者の考えを理解し、様々な立場からの見解を総括する対応力も見られているのである。

資料編

児童の権利に関する条約（抄）（1989 年 11 月 20 日採択　1990 年 9 月 2 日発効）

　前文　この条約の締約国は、国際連合憲章において宣明された原則によれば、人類社会のすべての構成員の固有の尊厳及び平等のかつ奪い得ない権利を認めることが世界における自由、正義及び平和の基礎を成すものであることを考慮し、国際連合加盟国の国民が、国際連合憲章において、基本的人権並びに人間の尊厳及び価値に関する信念を改めて確認し、かつ、一層大きな自由の中で社会的進歩及び生活水準の向上を促進することを決意したことに留意し、国際連合が、世界人権宣言及び人権に関する国際規約において、すべての人は人種、皮膚の色、性、言語、宗教、政治的意見その他の意見、国民的若しくは社会的出身、財産、出生又は他の地位等によるいかなる差別もなしに同宣言及び同規約に掲げるすべての権利及び自由を享有することができることを宣明し及び合意したことを認め、国際連合が、世界人権宣言において、児童は特別な保護及び援助についての権利を享有することができることを宣明したことを想起し、家族が、社会の基礎的な集団として、並びに家族のすべての構成員、特に、児童の成長及び福祉のための自然な環境として、社会においてその責任を十分に引き受けることができるよう必要な保護及び援助を与えられるべきであることを確信し、児童が、その人格の完全なかつ調和のとれた発達のため、家庭環境の下で幸福、愛情及び理解のある雰囲気の中で成長すべきであることを認め、児童が、社会において個人として生活するため十分な準備が整えられるべきであり、かつ、国際連合憲章において宣明された理想の精神並びに特に平和、尊厳、寛容、自由、平等及び連帯の精神に従って育てられるべきであることを考慮し、児童に対して特別な保護を与えることの必要性が、1924 年の児童の権利に関するジュネーヴ宣言及び 1959 年 11 月 20 日に国際連合総会で採択された児童の権利に関する宣言において述べられており、また、世界人権宣言、市民的及び政治的権利に関する国際規約（特に第 23 条及び第 24 条）、経済的、社会的及び文化的権利に関する国際規約（特に第 10 条）並びに児童の福祉に関係する専門機関及び国際機関の規程及び関係文書において認められていることに留意し、児童の権利に関する宣言において示されているとおり「児童は、身体的及び精神的に未熟であるため、その出生の前後において、適当な法的保護を含む特別な保護及び世話を必要とする。」ことに留意し、国内の又は国際的な里親委託及び養子縁組を特に考慮した児童の保護及び福祉についての社会的及び法的な原則に関する宣言、少年司法の運用のための国際連合最低基準規則（北京規則）及び緊急事態及び武力紛争における女子及び児童の保護に関する宣言の規定を想起し、極めて困難な条件の下で生活している児童が世界のすべての国に存在すること、また、このような児童が特別な配慮を必要としていることを認め、児童の保護及び調和のとれた発達のために各人民の伝統及び文化的価値が有する重要性を十分に考慮し、あらゆる国特に開発途上国における児童の生活条件を改善するために国

132

際協力が重要であることを認めて、次のとおり協定した。

第1部

第1条　この条約の適用上、児童とは、18歳未満のすべての者をいう。ただし、当該児童で、その者に適用される法律によりより早く成年に達したものを除く。

第2条1　締約国は、その管轄の下にある児童に対し、児童又はその父母若しくは法定保護者の人種、皮膚の色、性、言語、宗教、政治的意見その他の意見、国民的、種族的若しくは社会的出身、財産、心身障害、出生又は他の地位にかかわらず、いかなる差別もなしにこの条約に定める権利を尊重し、及び確保する。

2　締約国は、児童がその父母、法定保護者又は家族の構成員の地位、活動、表明した意見又は信念によるあらゆる形態の差別又は処罰から保護されることを確保するためのすべての適当な措置をとる。

第3条1　児童に関するすべての措置をとるに当たっては、公的若しくは私的な社会福祉施設、裁判所、行政当局又は立法機関のいずれによって行われるものであっても、児童の最善の利益が主として考慮されるものとする。

2　締約国は、児童の父母、法定保護者又は児童について法的に責任を有する他の者の権利及び義務を考慮に入れて、児童の福祉に必要な保護及び養護を確保することを約束し、このため、すべての適当な立法上及び行政上の措置をとる。

3　締約国は、児童の養護又は保護のための施設、役務の提供及び設備が、特に安全及び健康の分野に関し並びにこれらの職員の数及び適格性並びに適正な監督に関し権限のある当局の設定した基準に適合することを確保する。

第4条　締約国は、この条約において認められる権利の実現のため、すべての適当な立法措置、行政措置その他の措置を講ずる。締約国は、経済的、社会的及び文化的権利に関しては、自国における利用可能な手段の最大限の範囲内で、また、必要な場合には国際協力の枠内で、これらの措置を講ずる。

第5条　締約国は、児童がこの条約において認められる権利を行使するに当たり、父母若しくは場合により地方の慣習により定められている大家族若しくは共同体の構成員、法定保護者又は児童について法的に責任を有する他の者がその児童の発達しつつある能力に適合する方法で適当な指示及び指導を与える責任、権利及び義務を尊重する。

第6条1　締約国は、すべての児童が生命に対する固有の権利を有することを認める。

2　締約国は、児童の生存及び発達を可能な最大限の範囲において確保する。

第7条1　児童は、出生の後直ちに登録される。児童は、出生の時から氏名を有する権利及び国籍を取得する権利を有するものとし、また、できる限りその父母を知りかつその父母によって養育される権利を有する。

2　締約国は、特に児童が無国籍となる場合を含めて、国内法及びこの分野における関連する国際文書に基づく自国の義務に従い、1の権利の実現を確保する。

第8条1　締約国は、児童が法律によって認められた国籍、氏名及び家族関係を含むその身元関係事項について不法に干渉されることなく保持する権利を尊重することを約束する。

2　締約国は、児童がその身元関係事項の一部又は全部を不法に奪われた場合には、その身元関係事項を速やかに回復するため、適当な援助及び保護を与える。

第9条 1　締約国は、児童がその父母の意思に反してその父母から分離されないことを確保する。ただし、権限のある当局が司法の審査に従うことを条件として適用のある法律及び手続に従いその分離が児童の最善の利益のために必要であると決定する場合は、この限りでない。このような決定は、父母が児童を虐待し若しくは放置する場合又は父母が別居しており児童の居住地を決定しなければならない場合のような特定の場合において必要となることがある。

2　すべての関係当事者は、1の規定に基づくいかなる手続においても、その手続に参加しかつ自己の意見を述べる機会を有する。

3　締約国は、児童の最善の利益に反する場合を除くほか、父母の一方又は双方から分離されている児童が定期的に父母のいずれとも人的な関係及び直接の接触を維持する権利を尊重する。

4　3の分離が、締約国がとった父母の一方若しくは双方又は児童の抑留、拘禁、追放、退去強制、死亡（その者が当該締約国により身体を拘束されている間に何らかの理由により生じた死亡を含む。）等のいずれかの措置に基づく場合には、当該締約国は、要請に応じ、父母、児童又は適当な場合には家族の他の構成員に対し、家族のうち不在となっている者の所在に関する重要な情報を提供する。ただし、その情報の提供が児童の福祉を害する場合は、この限りでない。締約国は、更に、その要請の提出自体が関係者に悪影響を及ぼさないことを確保する。

第10条 1　前条1の規定に基づく締約国の義務に従い、家族の再統合を目的とする児童又はその父母による締約国への入国又は締約国からの出国の申請については、締約国が積極的、人道的かつ迅速な方法で取り扱う。締約国は、更に、その申請の提出が申請者及びその家族の構成員に悪影響を及ぼさないことを確保する。

2　父母と異なる国に居住する児童は、例外的な事情がある場合を除くほか定期的に父母との人的な関係及び直接の接触を維持する権利を有する。このため、前条1の規定に基づく締約国の義務に従い、締約国は、児童及びその父母がいずれの国（自国を含む。）からも出国し、かつ、自国に入国する権利を尊重する。出国する権利は、法律で定められ、国の安全、公の秩序、公衆の健康若しくは道徳又は他の者の権利及び自由を保護するために必要であり、かつ、この条約において認められる他の権利と両立する制限にのみ従う。

第11条 1　締約国は、児童が不法に国外へ移送されることを防止し及び国外から帰還することができない事態を除去するための措置を講ずる。

2　このため、締約国は、2国間若しくは多数国間の協定の締結又は現行の協定への加入を促進する。

第12条 1　締約国は、自己の意見を形成する能力のある児童がその児童に影響を及ぼすすべての事項について自由に自己の意見を表明する権利を確保する。この場合において、児童の意見は、その児童の年齢及び成熟度に従って相応に考慮されるものとする。

2　このため、児童は、特に、自己に影響を及ぼすあらゆる司法上及び行政上の手続において、国内法の手続規則に合致する方法により直接に又は代理人若しくは適当な団体を通じて聴取される機会を与えられる。

　第13条1　児童は、表現の自由についての権利を有する。この権利には、口頭、手書き若しくは印刷、芸術の形態又は自ら選択する他の方法により、国境とのかかわりなく、あらゆる種類の情報及び考えを求め、受け及び伝える自由を含む。

　2　1の権利の行使については、一定の制限を課することができる。ただし、その制限は、法律によって定められ、かつ、次の目的のために必要とされるものに限る。(a) 他の者の権利又は信用の尊重 (b) 国の安全、公の秩序又は公衆の健康若しくは道徳の保護

　第14条1　締約国は、思想、良心及び宗教の自由についての児童の権利を尊重する。

　2　締約国は、児童が1の権利を行使するに当たり、父母及び場合により法定保護者が児童に対しその発達しつつある能力に適合する方法で指示を与える権利及び義務を尊重する。

　3　宗教又は信念を表明する自由については、法律で定める制限であって公共の安全、公の秩序、公衆の健康若しくは道徳又は他の者の基本的な権利及び自由を保護するために必要なもののみを課することができる。

　第15条1　締約国は、結社の自由及び平和的な集会の自由についての児童の権利を認める。

　2　1の権利の行使については、法律で定める制限であって国の安全若しくは公共の安全、公の秩序、公衆の健康若しくは道徳の保護又は他の者の権利及び自由の保護のため民主的社会において必要なもの以外のいかなる制限も課することができない。

　第16条1　いかなる児童も、その私生活、家族、住居若しくは通信に対して恣意的に若しくは不法に干渉され又は名誉及び信用を不法に攻撃されない。

　2　児童は、1の干渉又は攻撃に対する法律の保護を受ける権利を有する。

　第17条　締約国は、大衆媒体（マス・メディア）の果たす重要な機能を認め、児童が国の内外の多様な情報源からの情報及び資料、特に児童の社会面、精神面及び道徳面の福祉並びに心身の健康の促進を目的とした情報及び資料を利用することができることを確保する。このため、締約国は、(a) 児童にとって社会面及び文化面において有益であり、かつ、第29条の精神に沿う情報及び資料を大衆媒体（マス・メディア）が普及させるよう奨励する。(b) 国の内外の多様な情報源（文化的にも多様な情報源を含む。）からの情報及び資料の作成、交換及び普及における国際協力を奨励する。(c) 児童用書籍の作成及び普及を奨励する。(d) 少数集団に属し又は原住民である児童の言語上の必要性について大衆媒体（マス・メディア）が特に考慮するよう奨励する。(e) 第13条及び次条の規定に留意して、児童の福祉に有害な情報及び資料から児童を保護するための適当な指針を発展させることを奨励する。

　第18条1　締約国は、児童の養育及び発達について父母が共同の責任を有するという原則についての認識を確保するために最善の努力を払う。父母又は場合により法定保護者は、児童の養育及び発達についての第一義的な責任を有する。児童の最善の利益は、これらの者の基本的な関心事項となるものとする。

　2　締約国は、この条約に定める権利を保障し及び促進するため、父母及び法定保護者が

児童の養育についての責任を遂行するに当たりこれらの者に対して適当な援助を与えるものとし、また、児童の養護のための施設、設備及び役務の提供の発展を確保する。

3　締約国は、父母が働いている児童が利用する資格を有する児童の養護のための役務の提供及び設備からその児童が便益を受ける権利を有することを確保するためのすべての適当な措置をとる。

第19条　1　締約国は、児童が父母、法定保護者又は児童を監護する他の者による監護を受けている間において、あらゆる形態の身体的若しくは精神的な暴力、傷害若しくは虐待、放置若しくは怠慢な取扱い、不当な取扱い又は搾取（性的虐待を含む。）からその児童を保護するためすべての適当な立法上、行政上、社会上及び教育上の措置をとる。

2　1の保護措置には、適当な場合には、児童及び児童を監護する者のために必要な援助を与える社会的計画の作成その他の形態による防止のための効果的な手続並びに1に定める児童の不当な取扱いの事件の発見、報告、付託、調査、処置及び事後措置並びに適当な場合には司法の関与に関する効果的な手続を含むものとする。

第20条　1　一時的若しくは恒久的にその家庭環境を奪われた児童又は児童自身の最善の利益にかんがみその家庭環境にとどまることが認められない児童は、国が与える特別の保護及び援助を受ける権利を有する。

2　締約国は、自国の国内法に従い、1の児童のための代替的な監護を確保する。

3　2の監護には、特に、里親委託、イスラム法のカファーラ、養子縁組又は必要な場合には児童の監護のための適当な施設への収容を含むことができる。解決策の検討に当たっては、児童の養育において継続性が望ましいこと並びに児童の種族的、宗教的、文化的及び言語的な背景について、十分な考慮を払うものとする。

第21条　養子縁組の制度を認め又は許容している締約国は、児童の最善の利益について最大の考慮が払われることを確保するものとし、また、(a) 児童の養子縁組が権限のある当局によってのみ認められることを確保する。この場合において、当該権限のある当局は、適用のある法律及び手続に従い、かつ、信頼し得るすべての関連情報に基づき、養子縁組が父母、親族及び法定保護者に関する児童の状況にかんがみ許容されること並びに必要な場合には、関係者が所要のカウンセリングに基づき養子縁組について事情を知らされた上での同意を与えていることを認定する。(b) 児童がその出身国内において里親若しくは養家に託され又は適切な方法で監護を受けることができない場合には、これに代わる児童の監護の手段として国際的な養子縁組を考慮することができることを認める。(c) 国際的な養子縁組が行われる児童が国内における養子縁組の場合における保護及び基準と同等のものを享受することを確保する。(d) 国際的な養子縁組において当該養子縁組が関係者に不当な金銭上の利得をもたらすことがないことを確保するためのすべての適当な措置をとる。(e) 適当な場合には、2国間又は多数国間の取極又は協定を締結することによりこの条の目的を促進し、及びこの枠組みの範囲内で他国における児童の養子縁組が権限のある当局又は機関によって行われることを確保するよう努める。

第22条　1　締約国は、難民の地位を求めている児童又は適用のある国際法及び国際的な

手続若しくは国内法及び国内的な手続に基づき難民と認められている児童が、父母又は他の者に付き添われているかいないかを問わず、この条約及び自国が締約国となっている人権又は人道に関する他の国際文書に定める権利であって適用のあるものの享受に当たり、適当な保護及び人道的援助を受けることを確保するための適当な措置をとる。

2　このため、締約国は、適当と認める場合には、1の児童を保護し及び援助するため、並びに難民の児童の家族との再統合に必要な情報を得ることを目的としてその難民の児童の父母又は家族の他の構成員を捜すため、国際連合及びこれと協力する他の権限のある政府間機関又は関係非政府機関による努力に協力する。その難民の児童は、父母又は家族の他の構成員が発見されない場合には、何らかの理由により恒久的又は一時的にその家庭環境を奪われた他の児童と同様にこの条約に定める保護が与えられる。

第23条 1　締約国は、精神的又は身体的な障害を有する児童が、その尊厳を確保し、自立を促進し及び社会への積極的な参加を容易にする条件の下で十分かつ相応な生活を享受すべきであることを認める。

2　締約国は、障害を有する児童が特別の養護についての権利を有することを認めるものとし、利用可能な手段の下で、申込みに応じた、かつ、当該児童の状況及び父母又は当該児童を養護している他の者の事情に適した援助を、これを受ける資格を有する児童及びこのような児童の養護について責任を有する者に与えることを奨励し、かつ、確保する。

3　障害を有する児童の特別な必要を認めて、2の規定に従って与えられる援助は、父母又は当該児童を養護している他の者の資力を考慮して可能な限り無償で与えられるものとし、かつ、障害を有する児童が可能な限り社会への統合及び個人の発達（文化的及び精神的な発達を含む。）を達成することに資する方法で当該児童が教育、訓練、保健サービス、リハビリテーション・サービス、雇用のための準備及びレクリエーションの機会を実質的に利用し及び享受することができるように行われるものとする。

4　締約国は、国際協力の精神により、予防的な保健並びに障害を有する児童の医学的、心理学的及び機能的治療の分野における適当な情報の交換（リハビリテーション、教育及び職業サービスの方法に関する情報の普及及び利用を含む。）であってこれらの分野における自国の能力及び技術を向上させ並びに自国の経験を広げることができるようにすることを目的とするものを促進する。これに関しては、特に、開発途上国の必要を考慮する。

第24条 1　締約国は、到達可能な最高水準の健康を享受すること並びに病気の治療及び健康の回復のための便宜を与えられることについての児童の権利を認める。締約国は、いかなる児童もこのような保健サービスを利用する権利が奪われないことを確保するために努力する。

2　締約国は、1の権利の完全な実現を追求するものとし、特に、次のことのための適当な措置をとる。（a）幼児及び児童の死亡率を低下させること。（b）基礎的な保健の発展に重点を置いて必要な医療及び保健をすべての児童に提供することを確保すること。（c）環境汚染の危険を考慮に入れて、基礎的な保健の枠組みの範囲内で行われることを含めて、特に容易に利用可能な技術の適用により並びに十分に栄養のある食物及び清潔な飲料水の供給

資料編　137

を通じて、疾病及び栄養不良と闘うこと。　(d) 母親のための産前産後の適当な保健を確保すること。　(e) 社会のすべての構成員特に父母及び児童が、児童の健康及び栄養、母乳による育児の利点、衛生（環境衛生を含む。）並びに事故の防止についての基礎的な知識に関して、情報を提供され、教育を受ける機会を有し及びその知識の使用について支援されることを確保すること。　(f) 予防的な保健、父母のための指導並びに家族計画に関する教育及びサービスを発展させること。

3　締約国は、児童の健康を害するような伝統的な慣行を廃止するため、効果的かつ適当なすべての措置をとる。

4　締約国は、この条において認められる権利の完全な実現を漸進的に達成するため、国際協力を促進し及び奨励することを約束する。これに関しては、特に、開発途上国の必要を考慮する。

第25条　締約国は、児童の身体又は精神の養護、保護又は治療を目的として権限のある当局によって収容された児童に対する処遇及びその収容に関連する他のすべての状況に関する定期的な審査が行われることについての児童の権利を認める。

第26条1　締約国は、すべての児童が社会保険その他の社会保障からの給付を受ける権利を認めるものとし、自国の国内法に従い、この権利の完全な実現を達成するための必要な措置をとる。

2　1の給付は、適当な場合には、児童及びその扶養について責任を有する者の資力及び事情並びに児童によって又は児童に代わって行われる給付の申請に関する他のすべての事項を考慮して、与えられるものとする。

第27条1　締約国は、児童の身体的、精神的、道徳的及び社会的な発達のための相当な生活水準についてのすべての児童の権利を認める。

2　父母又は児童について責任を有する他の者は、自己の能力及び資力の範囲内で、児童の発達に必要な生活条件を確保することについての第一義的な責任を有する。

3　締約国は、国内事情に従い、かつ、その能力の範囲内で、1の権利の実現のため、父母及び児童について責任を有する他の者を援助するための適当な措置をとるものとし、また、必要な場合には、特に栄養、衣類及び住居に関して、物的援助及び支援計画を提供する。　4　締約国は、父母又は児童について金銭上の責任を有する他の者から、児童の扶養料を自国内で及び外国から、回収することを確保するためのすべての適当な措置をとる。特に、児童について金銭上の責任を有する者が児童と異なる国に居住している場合には、締約国は、国際協定への加入又は国際協定の締結及び他の適当な取決めの作成を促進する。

第28条1　締約国は、教育についての児童の権利を認めるものとし、この権利を漸進的にかつ機会の平等を基礎として達成するため、特に、(a) 初等教育を義務的なものとし、すべての者に対して無償のものとする。　(b) 種々の形態の中等教育（一般教育及び職業教育を含む。）の発展を奨励し、すべての児童に対し、これらの中等教育が利用可能であり、かつ、これらを利用する機会が与えられるものとし、例えば、無償教育の導入、必要な場合における財政的援助の提供のような適当な措置をとる。　(c) すべての適当な方法により、能力に

応じ、すべての者に対して高等教育を利用する機会が与えられるものとする。 (d) すべての児童に対し、教育及び職業に関する情報及び指導が利用可能であり、かつ、これらを利用する機会が与えられるものとする。 (e) 定期的な登校及び中途退学率の減少を奨励するための措置をとる。

2 締約国は、学校の規律が児童の人間の尊厳に適合する方法で及びこの条約に従って運用されることを確保するためのすべての適当な措置をとる。

3 締約国は、特に全世界における無知及び非識字の廃絶に寄与し並びに科学上及び技術上の知識並びに最新の教育方法の利用を容易にするため、教育に関する事項についての国際協力を促進し、及び奨励する。これに関しては、特に、開発途上国の必要を考慮する。

第29条 1 締約国は、児童の教育が次のことを指向すべきことに同意する。 (a) 児童の人格、才能並びに精神的及び身体的な能力をその可能な最大限度まで発達させること。 (b) 人権及び基本的自由並びに国際連合憲章にうたう原則の尊重を育成すること。 (c) 児童の父母、児童の文化的同一性、言語及び価値観、児童の居住国及び出身国の国民的価値観並びに自己の文明と異なる文明に対する尊重を育成すること。 (d) すべての人民の間の、種族的、国民的及び宗教的集団の間の並びに原住民である者の理解、平和、寛容、両性の平等及び友好の精神に従い、自由な社会における責任ある生活のために児童に準備させること。 (e) 自然環境の尊重を育成すること。

2 この条文又は前条のいかなる規定も、個人及び団体が教育機関を設置し及び管理する自由を妨げるものと解してはならない。ただし、常に、1に定める原則が遵守されること及び当該教育機関において行われる教育が国によって定められる最低限度の基準に適合することを条件とする。

第30条 種族的、宗教的若しくは言語的少数民族又は先住民である者が存在する国において、当該少数民族に属し又は先住民である児童は、その集団の他の構成員とともに自己の文化を享有し、自己の宗教を信仰しかつ実践し又は自己の言語を使用する権利を否定されない。

第31条 1 締約国は、休息及び余暇についての児童の権利並びに児童がその年齢に適した遊び及びレクリエーションの活動を行い並びに文化的な生活及び芸術に自由に参加する権利を認める。

2 締約国は、児童が文化的及び芸術的な生活に十分に参加する権利を尊重しかつ促進するものとし、文化的及び芸術的な活動並びにレクリエーション及び余暇の活動のための適当かつ平等な機会の提供を奨励する。

第32条 1 締約国は、児童が経済的な搾取から保護され及び危険となり若しくは児童の教育の妨げとなり又は児童の健康若しくは身体的、精神的、道徳的若しくは社会的な発達に有害となるおそれのある労働への従事から保護される権利を認める。

2 締約国は、この条の規定の実施を確保するための立法上、行政上、社会上及び教育上の措置をとる。このため、締約国は、他の国際文書の関連規定を考慮して、特に、(a) 雇用が認められるための1又は2以上の最低年齢を定める。 (b) 労働時間及び労働条件につ

いての適当な規則を定める。 (c) この条の規定の効果的な実施を確保するための適当な罰則その他の制裁を定める。

第33条　締約国は、関連する国際条約に定義された麻薬及び向精神薬の不正な使用から児童を保護し並びにこれらの物質の不正な生産及び取引における児童の使用を防止するための立法上、行政上、社会上及び教育上の措置を含むすべての適当な措置をとる。

第34条　締約国は、あらゆる形態の性的搾取及び性的虐待から児童を保護することを約束する。このため、締約国は、特に、次のことを防止するためのすべての適当な国内、2国間及び多数国間の措置をとる。 (a) 不法な性的な行為を行うことを児童に対して勧誘し又は強制すること。 (b) 売春又は他の不法な性的な業務において児童を搾取的に使用すること。 (c) わいせつな演技及び物において児童を搾取的に使用すること。

第35条　締約国は、あらゆる目的のための又はあらゆる形態の児童の誘拐、売買又は取引を防止するためのすべての適当な国内、2国間及び多数国間の措置をとる。

第36条　締約国は、いずれかの面において児童の福祉を害する他のすべての形態の搾取から児童を保護する。

第37条　締約国は、次のことを確保する。 (a) いかなる児童も、拷問又は他の残虐な、非人道的な若しくは品位を傷つける取扱い若しくは刑罰を受けないこと。死刑又は釈放の可能性がない終身刑は、18歳未満の者が行った犯罪について科さないこと。 (b) いかなる児童も、不法に又は恣意的にその自由を奪われないこと。児童の逮捕、抑留又は拘禁は、法律に従って行うものとし、最後の解決手段として最も短い適当な期間のみ用いること。 (c) 自由を奪われたすべての児童は、人道的に、人間の固有の尊厳を尊重して、かつ、その年齢の者の必要を考慮した方法で取り扱われること。特に、自由を奪われたすべての児童は、成人とは分離されないことがその最善の利益であると認められない限り成人とは分離されるものとし、例外的な事情がある場合を除くほか、通信及び訪問を通じてその家族との接触を維持する権利を有すること。 (d) 自由を奪われたすべての児童は、弁護人その他適当な援助を行う者と速やかに接触する権利を有し、裁判所その他の権限のある、独立の、かつ、公平な当局においてその自由の剥奪の合法性を争い並びにこれについての決定を速やかに受ける権利を有すること。

第38条1　締約国は、武力紛争において自国に適用される国際人道法の規定で児童に関係を有するものを尊重し及びこれらの規定の尊重を確保することを約束する。

2　締約国は、15歳未満の者が敵対行為に直接参加しないことを確保するためのすべての実行可能な措置をとる。

3　締約国は、15歳未満の者を自国の軍隊に採用することを差し控えるものとし、また、15歳以上18歳未満の者の中から採用するに当たっては、最年長者を優先させるよう努める。

4　締約国は、武力紛争において文民を保護するための国際人道法に基づく自国の義務に従い、武力紛争の影響を受ける児童の保護及び養護を確保するためのすべての実行可能な措置をとる。

第39条　締約国は、あらゆる形態の放置、搾取若しくは虐待、拷問若しくは他のあらゆ

140

る形態の残虐な、非人道的な若しくは品位を傷つける取扱い若しくは刑罰又は武力紛争による被害者である児童の身体的及び心理的な回復及び社会復帰を促進するためのすべての適当な措置をとる。このような回復及び復帰は、児童の健康、自尊心及び尊厳を育成する環境において行われる。

第40条 1 締約国は、刑法を犯したと申し立てられ、訴追され又は認定されたすべての児童が尊厳及び価値についての当該児童の意識を促進させるような方法であって、当該児童が他の者の人権及び基本的自由を尊重することを強化し、かつ、当該児童の年齢を考慮し、更に、当該児童が社会に復帰し及び社会において建設的な役割を担うことがなるべく促進されることを配慮した方法により取り扱われる権利を認める。

2 このため、締約国は、国際文書の関連する規定を考慮して、特に次のことを確保する。(a) いかなる児童も、実行の時に国内法又は国際法により禁じられていなかった作為又は不作為を理由として刑法を犯したと申し立てられ、訴追され又は認定されないこと。 (b) 刑法を犯したと申し立てられ又は訴追されたすべての児童は、少なくとも次の保障を受けること。 (i) 法律に基づいて有罪とされるまでは無罪と推定されること。 (ii) 速やかにかつ直接に、また、適当な場合には当該児童の父母又は法定保護者を通じてその罪を告げられること並びに防御の準備及び申立てにおいて弁護人その他適当な援助を行う者を持つこと。 (iii) 事案が権限のある、独立の、かつ、公平な当局又は司法機関により法律に基づく公正な審理において、弁護人その他適当な援助を行う者の立会い及び、特に当該児童の年齢又は境遇を考慮して児童の最善の利益にならないと認められる場合を除くほか、当該児童の父母又は法定保護者の立会いの下に遅滞なく決定されること。 (iv) 供述又は有罪の自白を強要されないこと。不利な証人を尋問し又はこれに対し尋問させること並びに対等の条件で自己のための証人の出席及びこれに対する尋問を求めること。 (v) 刑法を犯したと認められた場合には、その認定及びその結果科せられた措置について、法律に基づき、上級の、権限のある、独立の、かつ、公平な当局又は司法機関によって再審理されること。 (vi) 使用される言語を理解すること又は話すことができない場合には、無料で通訳の援助を受けること。 (vii) 手続のすべての段階において当該児童の私生活が十分に尊重されること。

3 締約国は、刑法を犯したと申し立てられ、訴追され又は認定された児童に特別に適用される法律及び手続の制定並びに当局及び施設の設置を促進するよう努めるものとし、特に、次のことを行う。 (a) その年齢未満の児童は刑法を犯す能力を有しないと推定される最低年齢を設定すること。 (b) 適当なかつ望ましい場合には、人権及び法的保護が十分に尊重されていることを条件として、司法上の手続に訴えることなく当該児童を取り扱う措置をとること。

4 児童がその福祉に適合し、かつ、その事情及び犯罪の双方に応じた方法で取り扱われることを確保するため、保護、指導及び監督命令、カウンセリング、保護観察、里親委託、教育及び職業訓練計画、施設における養護に代わる他の措置等の種々の処置が利用し得るものとする。

第41条 この条約のいかなる規定も、次のものに含まれる規定であって児童の権利の実

現に一層貢献するものに影響を及ぼすものではない。 (a) 締約国の法律 (b) 締約国について効力を有する国際法

第2部

第42条　締約国は、適当かつ積極的な方法でこの条約の原則及び規定を成人及び児童のいずれにも広く知らせることを約束する。

第43条　1　この条約において負う義務の履行の達成に関する締約国による進捗の状況を審査するため、児童の権利に関する委員会（以下「委員会」という。）を設置する。委員会は、この部に定める任務を行う。

2　委員会は、徳望が高く、かつ、この条約が対象とする分野において能力を認められた10人の専門家で構成する。委員会の委員は、締約国の国民の中から締約国により選出されるものとし、個人の資格で職務を遂行する。その選出に当たっては、衡平な地理的配分及び主要な法体系を考慮に入れる。

3　委員会の委員は、締約国により指名された者の名簿の中から秘密投票により選出される。各締約国は、自国民の中から1人を指名することができる。

4　委員会の委員の最初の選挙は、この条約の効力発生の日の後6箇月以内に行うものとし、その後の選挙は、2年ごとに行う。国際連合事務総長は、委員会の委員の選挙の日の遅くとも4箇月前までに、締約国に対し、自国が指名する者の氏名を2箇月以内に提出するよう書簡で要請する。その後、同事務総長は、指名された者のアルファベット順による名簿（これらの者を指名した締約国名を表示した名簿とする。）を作成し、この条約の締約国に送付する。

5　委員会の委員の選挙は、国際連合事務総長により国際連合本部に招集される締約国の会合において行う。これらの会合は、締約国の3分の2をもって定足数とする。これらの会合においては、出席しかつ投票する締約国の代表によって投じられた票の最多数で、かつ、過半数の票を得た者をもって委員会に選出された委員とする。

6　委員会の委員は、4年の任期で選出される。委員は、再指名された場合には、再選される資格を有する。最初の選挙において選出された委員のうち5人の委員の任期は、2年で終了するものとし、これらの5人の委員は、最初の選挙の後直ちに、最初の選挙が行われた締約国の会合の議長によりくじ引で選ばれる。

7　委員会の委員が死亡し、辞任し又は他の理由のため委員会の職務を遂行することができなくなったことを宣言した場合には、当該委員を指名した締約国は、委員会の承認を条件として自国民の中から残余の期間職務を遂行する他の専門家を任命する。

8　委員会は、手続規則を定める。

9　委員会は、役員を2年の任期で選出する。

10　委員会の会合は、原則として、国際連合本部又は委員会が決定する他の適当な場所において開催する。委員会は、原則として毎年1回会合する。委員会の会合の期間は、国際連合総会の承認を条件としてこの条約の締約国の会合において決定し、必要な場合には、再検討する。

11　国際連合事務総長は、委員会がこの条約に定める任務を効果的に遂行するために必要

な職員及び便益を提供する。

12　この条約に基づいて設置する委員会の委員は、国際連合総会が決定する条件に従い、同総会の承認を得て、国際連合の財源から報酬を受ける。

第44条1　締約国は、(a) 当該締約国についてこの条約が効力を生ずる時から2年以内に、(b) その後は5年ごとに、この条約において認められる権利の実現のためにとった措置及びこれらの権利の享受についてもたらされた進歩に関する報告を国際連合事務総長を通じて委員会に提出することを約束する。

2　この条の規定により行われる報告には、この条約に基づく義務の履行の程度に影響を及ぼす要因及び障害が存在する場合には、これらの要因及び障害を記載する。当該報告には、また、委員会が当該国における条約の実施について包括的に理解するために十分な情報を含める。

3　委員会に対して包括的な最初の報告を提出した締約国は、1 (b) の規定に従って提出するその後の報告においては、既に提供した基本的な情報を繰り返す必要はない。

4　委員会は、この条約の実施に関連する追加の情報を締約国に要請することができる。

5　委員会は、その活動に関する報告を経済社会理事会を通じて2年ごとに国際連合総会に提出する。

6　締約国は、1の報告を自国において公衆が広く利用できるようにする。

第45条　この条約の効果的な実施を促進及びこの条約が対象とする分野における国際協力を奨励するため、(a) 専門機関及び国際連合児童基金その他の国際連合の機関は、その任務の範囲内にある事項に関するこの条約の規定の実施についての検討に際し、代表を出す権利を有する。委員会は、適当と認める場合には、専門機関及び国際連合児童基金その他の権限のある機関に対し、これらの機関の任務の範囲内にある事項に関するこの条約の実施について専門家の助言を提供するよう要請することができる。委員会は、専門機関及び国際連合児童基金その他の国際連合の機関に対し、これらの機関の任務の範囲内にある事項に関するこの条約の実施について報告を提出するよう要請することができる。(b) 委員会は、適当と認める場合には、技術的な助言若しくは援助の要請を含んでおり又はこれらの必要性を記載している締約国からのすべての報告を、これらの要請又は必要性の記載に関する委員会の見解及び提案がある場合は当該見解及び提案とともに、専門機関及び国際連合児童基金その他の権限のある機関に送付する。(c) 委員会は、国際連合総会に対し、国際連合事務総長が委員会のために児童の権利に関連する特定の事項に関する研究を行うよう同事務総長に要請することを勧告することができる。(d) 委員会は、前条及びこの条の規定により得た情報に基づく提案及び一般的な性格を有する勧告を行うことができる。これらの提案及び一般的な性格を有する勧告は、関係締約国に送付し、締約国から意見がある場合にはその意見とともに国際連合総会に報告する。(以下略)

教育基本法（平成 18 年 12 月 22 日法律第 120 号）

教育基本法（昭和 22 年法律第 25 号）の全部を改正する。我々日本国民は、たゆまぬ努力によって築いてきた民主的で文化的な国家を更に発展させるとともに、世界の平和と人類の福祉の向上に貢献することを願うものである。我々は、この理想を実現するため、個人の尊厳を重んじ、真理と正義を希求し、公共の精神を尊び、豊かな人間性と創造性を備えた人間の育成を期するとともに、伝統を継承し、新しい文化の創造を目指す教育を推進する。ここに、我々は、日本国憲法の精神にのっとり、我が国の未来を切り拓く教育の基本を確立し、その振興を図るため、この法律を制定する。

第 1 章　教育の目的及び理念

第 1 条（教育の目的）　教育は、人格の完成を目指し、平和で民主的な国家及び社会の形成者として必要な資質を備えた心身ともに健康な国民の育成を期して行われなければならない。

第 2 条（教育の目標）　教育は、その目的を実現するため、学問の自由を尊重しつつ、次に掲げる目標を達成するよう行われるものとする。

1　幅広い知識と教養を身に付け、真理を求める態度を養い、豊かな情操と道徳心を培うとともに、健やかな身体を養うこと。

2　個人の価値を尊重して、その能力を伸ばし、創造性を培い、自主及び自律の精神を養うとともに、職業及び生活との関連を重視し、勤労を重んずる態度を養うこと。

3　正義と責任、男女の平等、自他の敬愛と協力を重んずるとともに、公共の精神に基づき、主体的に社会の形成に参画し、その発展に寄与する態度を養うこと。

4　生命を尊び、自然を大切にし、環境の保全に寄与する態度を養うこと。

5　伝統と文化を尊重し、それらをはぐくんできた我が国と郷土を愛するとともに、他国を尊重し、国際社会の平和と発展に寄与する態度を養うこと。

第 3 条（生涯学習の理念）　国民一人一人が、自己の人格を磨き、豊かな人生を送ることができるよう、その生涯にわたって、あらゆる機会に、あらゆる場所において学習することができ、その成果を適切に生かすことのできる社会の実現が図られなければならない。

第 4 条（教育の機会均等）　すべて国民は、ひとしく、その能力に応じた教育を受ける機会を与えられなければならず、人種、信条、性別、社会的身分、経済的地位又は門地によって、教育上差別されない。

②　国及び地方公共団体は、障害のある者が、その障害の状態に応じ、十分な教育を受けられるよう、教育上必要な支援を講じなければならない。

③　国及び地方公共団体は、能力があるにもかかわらず、経済的理由によって修学が困難な者に対して、奨学の措置を講じなければならない。

第 2 章　教育の実施に関する基本

第 5 条（義務教育）　国民は、その保護する子に、別に法律で定めるところにより、普通教育を受けさせる義務を負う。

② 義務教育として行われる普通教育は、各個人の有する能力を伸ばしつつ社会において自立的に生きる基礎を培い、また、国家及び社会の形成者として必要とされる基本的な資質を養うことを目的として行われるものとする。

③ 国及び地方公共団体は、義務教育の機会を保障し、その水準を確保するため、適切な役割分担及び相互の協力の下、その実施に責任を負う。

④ 国又は地方公共団体の設置する学校における義務教育については、授業料を徴収しない。

第6条（学校教育）　法律に定める学校は、公の性質を有するものであって、国、地方公共団体及び法律に定める法人のみが、これを設置することができる。

② 前項の学校においては、教育の目標が達成されるよう、教育を受ける者の心身の発達に応じて、体系的な教育が組織的に行われなければならない。この場合において、教育を受ける者が、学校生活を営む上で必要な規律を重んずるとともに、自ら進んで学習に取り組む意欲を高めることを重視して行われなければならない。

第7条（大学）　大学は、学術の中心として、高い教養と専門的能力を培うとともに、深く真理を探究して新たな知見を創造し、これらの成果を広く社会に提供することにより、社会の発展に寄与するものとする。

② 大学については、自主性、自律性その他の大学における教育及び研究の特性が尊重されなければならない。

第8条（私立学校）　私立学校の有する公の性質及び学校教育において果たす重要な役割にかんがみ、国及び地方公共団体は、その自主性を尊重しつつ、助成その他の適当な方法によって私立学校教育の振興に努めなければならない。

第9条（教員）　法律に定める学校の教員は、自己の崇高な使命を深く自覚し、絶えず研究と修養に励み、その職責の遂行に努めなければならない。

② 前項の教員については、その使命と職責の重要性にかんがみ、その身分は尊重され、待遇の適正が期せられるとともに、養成と研修の充実が図られなければならない。

第10条（家庭教育）　父母その他の保護者は、子の教育について第一義的責任を有するものであって、生活のために必要な習慣を身に付けさせるとともに、自立心を育成し、心身の調和のとれた発達を図るよう努めるものとする。

② 国及び地方公共団体は、家庭教育の自主性を尊重しつつ、保護者に対する学習の機会及び情報の提供その他の家庭教育を支援するために必要な施策を講ずるよう努めなければならない。

第11条（幼児期の教育）　幼児期の教育は、生涯にわたる人格形成の基礎を培う重要なものであることにかんがみ、国及び地方公共団体は、幼児の健やかな成長に資する良好な環境の整備その他適当な方法によって、その振興に努めなければならない。

第12条（社会教育）　個人の要望や社会の要請にこたえ、社会において行われる教育は、国及び地方公共団体によって奨励されなければならない。

② 国及び地方公共団体は、図書館、博物館、公民館その他の社会教育施設の設置、学校

の施設の利用、学習の機会及び情報の提供その他の適当な方法によって社会教育の振興に努めなければならない。

第13条（学校、家庭及び地域住民等の相互の連携協力）　学校、家庭及び地域住民その他の関係者は、教育におけるそれぞれの役割と責任を自覚するとともに、相互の連携及び協力に努めるものとする。

第14条（政治教育）　良識ある公民として必要な政治的教養は、教育上尊重されなければならない。

②　法律に定める学校は、特定の政党を支持し、又はこれに反対するための政治教育その他政治的活動をしてはならない。

第15条（宗教教育）　宗教に関する寛容の態度、宗教に関する一般的な教養及び宗教の社会生活における地位は、教育上尊重されなければならない。

②　国及び地方公共団体が設置する学校は、特定の宗教のための宗教教育その他宗教的活動をしてはならない。

第3章　教育行政

第16条（教育行政）　教育は、不当な支配に服することなく、この法律及び他の法律の定めるところにより行われるべきものであり、教育行政は、国と地方公共団体との適切な役割分担及び相互の協力の下、公正かつ適正に行われなければならない。

②　国は、全国的な教育の機会均等と教育水準の維持向上を図るため、教育に関する施策を総合的に策定し、実施しなければならない。

③　地方公共団体は、その地域における教育の振興を図るため、その実情に応じた教育に関する施策を策定し、実施しなければならない。

④　国及び地方公共団体は、教育が円滑かつ継続的に実施されるよう、必要な財政上の措置を講じなければならない。

第17条（教育振興基本計画）　政府は、教育の振興に関する施策の総合的かつ計画的な推進を図るため、教育の振興に関する施策についての基本的な方針及び講ずべき施策その他必要な事項について、基本的な計画を定め、これを国会に報告するとともに、公表しなければならない。

②　地方公共団体は、前項の計画を参酌し、その地域の実情に応じ、当該地方公共団体における教育の振興のための施策に関する基本的な計画を定めるよう努めなければならない。

第4章　法令の制定

第18条　この法律に規定する諸条項を実施するため、必要な法令が制定されなければならない。

　附　則　（略）

146

学校教育法（抜粋）（昭和 22 年 3 月 31 日法律 26 号、最終改正平成 28 年 5 月 20 日法律 47 号）

第 11 条（学生生徒等の懲戒）　校長及び教員は、教育上必要があると認めるときは、文部科学大臣の定めるところにより、児童、生徒及び学生に懲戒を加えることができる。ただし、体罰を加えることはできない。

第 12 条　学校においては、別に法律で定めるところにより、幼児、児童、生徒及び学生並びに職員の健康の保持増進を図るため、健康診断を行い、その他その保健に必要な措置を講じなければならない。

（第 13 条から第 15 条略）

第 16 条（就学させる義務）　保護者（子に対して親権を行う者（親権を行う者のないときは、未成年後見人）をいう。以下同じ。）は、次条に定めるところにより、子に 9 年の普通教育を受けさせる義務を負う。

第 17 条　保護者は、子の満 6 歳に達した日の翌日以後における最初の学年の初めから、満 12 歳に達した日の属する学年の終わりまで、これを小学校、義務教育学校の前期課程又は特別支援学校の小学部に就学させる義務を負う。ただし、子が、満 12 歳に達した日の属する学年の終わりまでに小学校の課程、義務教育学校の前期課程又は特別支援学校の小学部の課程を修了しないときは、満 15 歳に達した日の属する学年の終わり（それまでの間においてこれらの課程を修了したときは、その修了した日の属する学年の終わり）までとする。

②　保護者は、子が小学校の課程、義務教育学校の前期課程又は特別支援学校の小学部の課程を修了した日の翌日以後における最初の学年の初めから、満 15 歳に達した日の属する学年の終わりまで、これを中学校、義務教育学校の後期課程、中等教育学校の前期課程又は特別支援学校の中学部に就学させる義務を負う。

③　前 2 項の義務の履行の督促その他これらの義務の履行に関し必要な事項は、政令で定める。

第 18 条　前条第 1 項又は第 2 項の規定によって、保護者が就学させなければならない子（以下それぞれ「学齢児童」又は「学齢生徒」という。）で、病弱、発育不完全その他やむを得ない事由のため、就学困難と認められる者の保護者に対しては、市町村の教育委員会は、文部科学大臣の定めるところにより、同条第 1 項又は第 2 項の義務を猶予又は免除することができる。

第 19 条　経済的理由によって、就学困難と認められる学齢児童又は学齢生徒の保護者に対しては、市町村は、必要な援助を与えなければならない。

第 20 条　学齢児童又は学齢生徒を使用する者は、その使用によって、当該学齢児童又は学齢生徒が、義務教育を受けることを妨げてはならない。

第 21 条　義務教育として行われる普通教育は、教育基本法（平成 18 年法律第 120 号）第 5 条第 2 項 に規定する目的を実現するため、次に掲げる目標を達成するよう行われるものとする。

1　学校内外における社会的活動を促進し、自主、自律及び協同の精神、規範意識、公正な判断力並びに公共の精神に基づき主体的に社会の形成に参画し、その発展に寄与する態度を養うこと。

2　学校内外における自然体験活動を促進し、生命及び自然を尊重する精神並びに環境の保全に寄与する態度を養うこと。

3　我が国と郷土の現状と歴史について、正しい理解に導き、伝統と文化を尊重し、それらをはぐくんできた我が国と郷土を愛する態度を養うとともに、進んで外国の文化の理解を通じて、他国を尊重し、国際社会の平和と発展に寄与する態度を養うこと。

4　家族と家庭の役割、生活に必要な衣、食、住、情報、産業その他の事項について基礎的な理解と技能を養うこと。

5　読書に親しませ、生活に必要な国語を正しく理解し、使用する基礎的な能力を養うこと。

6　生活に必要な数量的な関係を正しく理解し、処理する基礎的な能力を養うこと。

7　生活にかかわる自然現象について、観察及び実験を通じて、科学的に理解し、処理する基礎的な能力を養うこと。

8　健康、安全で幸福な生活のために必要な習慣を養うとともに、運動を通じて体力を養い、心身の調和的発達を図ること。

9　生活を明るく豊かにする音楽、美術、文芸その他の芸術について基礎的な理解と技能を養うこと。

10　職業についての基礎的な知識と技能、勤労を重んずる態度及び個性に応じて将来の進路を選択する能力を養うこと。

＜懲戒・体罰＞

学校教育法施行規則（抜粋）（昭和22年5月23日文部省令第11号，最終改正平成28年3月31日文部科学省令第19号）

第26条　校長及び教員が児童等に懲戒を加えるに当つては、児童等の心身の発達に応ずる等教育上必要な配慮をしなければならない。

②　懲戒のうち、退学、停学及び訓告の処分は、校長（大学にあっては、学長の委任を受けた学部長を含む。）が行う。

③　前項の退学は、公立の小学校、中学校（学校教育法第71条の規定により高等学校における教育と一貫した教育を施すもの（以下「併設型中学校」という。）を除く。）、義務教育学校又は特別支援学校に在学する学齢児童又は学齢生徒を除き、次の各号のいずれかに該当する児童等に対して行うことができる。

1　性行不良で改善の見込がないと認められる者

2　学力劣等で成業の見込がないと認められる者

3　正当の理由がなくて出席常でない者

4　学校の秩序を乱し、その他学生又は生徒としての本分に反した者

④　第2項の停学は、学齢児童又は学齢生徒に対しては、行うことができない。

⑤　学長は、学生に対する第2項の退学、停学及び訓告の処分の手続を定めなければならない。

（以下略）

法務調査意見長官回答「児童懲戒権の限界について」（抄）（昭和23年12月22日法務庁調査二発18号）

［第1問］　学校教育法第11条にいわゆる「体罰」の意義如何たとえば放課後学童を教室内に残留させることは「体罰」に該当するか又それは刑法上の監禁罪を構成するか

［回答］　1　学校教育法第11条にいう「体罰」とは懲戒の内容が身体的性質のものである場合を意味する。即ち　(1) 身体に対する侵害を内容とする懲戒―なぐる・けるの類―がこれに該当することはいうまでもないが更に　(2) 被罰者に肉体的苦痛を与えるような懲戒も亦これに該当する。例えば端座・直立等特定の姿勢を長時間にわたって保持させるというような懲戒は体罰の一種と解せられなければならない。

2　しかし特定の場合が上記の　(2) の意味の「体罰」に該当するかどうかに機械的に判定することはできない。たとえば同じ時間直立させるにしても、教室内の場合と炎天下又は寒風中の場合とでは被罰者の身体に対する影響が全くちがうからである。それ故に当該児童の年齢健康場所的及び時間的環境等種々の条件を考え合せて肉体的苦痛の有無を判定しなければならない。

3　放課後教室に残留させることは、前記1の定義からいって、通常「体罰」には該当しない。ただし用便のためにも室外に出ることを許さないとか食事時間をすぎて長く留めおくとかいうことがあれば肉体的苦痛を生じさせるから体罰に該当するであろう。

4　上記の教室に残留させる行為は肉体的苦痛を生じさせない場合であっても、刑法の監禁罪の構成要件を充足するか、合理的な限度をこえない範囲内の行為ならば正当な懲戒権の行使として刑法第35条により違法性が阻却され、犯罪は成立しない。合理的な限度をこえてこのような懲戒を行えば監禁罪の成立をまぬがれない。次に然らば上記の合理的な限度とは具体的にどの程度を意味するのか、という問題になるとあらかじめ一般的な標準を立てることは困難である。個々の具体的な場合に、当該の非行の性質、非行者の性行および年齢、留めおいた時間の長さ等、一切の条件を綜合的に考察して、通常の理性をそなえた者が当該の行為をもつて懲戒権の合理的な行使と判断するであろうか否かを標準として決定する外はない。

［第2問］　授業に遅刻した学童に対する懲戒としてある時間内この者を教室に入らせないことは許されるか。

［回答］　義務教育においては、児童に授業を受けさせないという処置は懲戒の方法としてはこれを採ることは許されないと解すべきである。学校教育法第26条、第40条には小中学校の監理機関が児童の保護者に対して児童の出席停止を命じ得る場合が規定されているがそ

れは当該の児童に対する懲戒の意味においてではなく他の児童に対する健康上又は教育上の悪い影響を防ぐ意味に於いて認められているにすぎない。故に遅刻児童についてもこれに対する懲戒の手段としてたとえ短時間でもこの者に授業をうけさせないという処置は許されない。

［第3問］授業中学習を怠り、又は喧騒その他ほかの児童の妨げになるような行為をした学童をある時間内、教室外に退去させまたは椅子から起立させておくことは許されるか。［回答］1　児童を教室外に退去せしめる行為については、第2問の回答に記したところと同様懲戒の手段としてかかる方法をとることは許されないと解すべきである。ただし児童が喧騒その他の行為によりほかの学習に妨げをするような場合、他の方法によってこれを制止しし ない時に懲戒の意味に於いてではなく教室の秩序を維持し外の一般児童の学習上の妨害を排除する意味でそうした行為のやむまでの間教師が当該児童を教室外に退去せしめることは許される。

2　児童を起立せしめることは、それが第1問回答1の（2）及び2の意味で「体罰」に該当しない限り懲戒権の範囲内の行為として適法である。

［第4問］略

［第5問］ある学童が学校の施設もしくは備品又は学友の所有にかかる物品を盗み又はこわした場合に、これに対する懲戒としてこの者を放課後学校に留めおくことは許されるか。

［回答］盗取毀損等の行為は刑法上の犯罪にも該当し従って刑罰の対象となり得べき行為でもあるが同時にまた懲戒の対象となり得べき行為でもある。刑罰はもちろん私人がこれを課することは出来ないが懲戒を行うことは懲戒権者の権限に属する。故に懲戒のために所問のごとき処置をとることは懲戒権の範囲を逸脱しない限りさしつかえなくこれに就ては第1問回答の3、4と同様に解してよい。

［第6問］第4、5問のような事故があつた場合に誰がしたのかをしらべ出すために容疑者及び関係者たる学童を教職員が訊問することは許されるか、又その為に、放課後、これ等の者を学校に留めおくことは許されるか。

［回答］1　所問のような学校内の秩序を破壊する行為があった場合はこれをそのまま見のがすことなく行為者を探し出してこれに適度の制裁を課することにより本人並に他の学童を戒めてその道徳心の向上を期することはそれ自体教育活動の一部であり従って合理的な範囲内に於ては当然教師がこれを行う権限を有している。従って教師は所問のような訊問を行ってもさしつかえない。ただし訊問にあたって威力を用いたり、自白や供述を強制したりしてはならない。そのような行為は強制捜査権を有する司法機関にさえも禁止されているのであり（憲法第38条第1項第36条参照）いわんや教職員にとってそのような行為が許されると解すべき根拠はないからである。

2　上記のような訊問のために放課後児童を学校に留めることは、それが非行者乃至非行の内容を明らかにするために必要であるかぎり合理的な範囲内において許される。尤もこれは懲戒権の行使としてではなく、前記の如き教育上の目的及び秩序維持の目的を達成する手段として許されるのである。どの位の時間の留めおきが許されるかは、第1問回答の4に準

150

じて考えられるべきである。

　[第7問]　学童に対する懲戒の方法としてその者に対して学校当番を特に多く割当てることはどうか。

　[回答]　懲戒として学校当番を多く割当てることはさしつかえない。ただしこの場合には懲戒権の行使としての合理的な限度をこえてはならないのであって、その限度をこえて不当な差別待遇又は児童の酷使にわたるようなことはもちろん許されない。

　[第8問]　遅刻児童を防止するため、遅刻者を出した部落等の区域内の学童に誘い合わせの上隊伍を組んで登校することを命じることは許されるか。

　[回答]　遅刻防止のため一定の区域内の児童に対し、誘い合わせて一緒に登校するように指示することはさしつかえない。尤も軍事教練的色彩をおびないように注意すべきである。
(昭和20年12月26日発体100号文部省体育局長発通牒「学校体練科関係事項ノ処理徹底ニ関スル件」参照)

＜いじめ＞

いじめ防止対策推進法（法律第71号）のあらまし（平成25年6月28日付け官報）（文部科学省）

　1　総則

　（一）　目的

　この法律は、いじめが、いじめを受けた児童等の教育を受ける権利を著しく侵害し、その心身の健全な成長及び人格の形成に重大な影響を与えるのみならず、その生命又は身体に重大な危険を生じさせるおそれがあるものであることに鑑み、児童等の尊厳を保持するため、いじめの防止等のための対策に関し、基本理念を定め、国及び地方公共団体等の責務を明らかにし、いじめの防止等のための対策に関する基本的な方針の策定について定めるとともに、いじめの防止等のための対策の基本となる事項を定めることにより、いじめの防止等のための対策を総合的かつ効果的に推進することを目的とすることとした。（第1条関係）

　（二）　定義

　この法律において「いじめ」とは、児童等に対して、当該児童等が在籍する学校に在籍している等当該児童等と一定の人的関係にある他の児童等が行う心理又は物理的な影響を与える行為（インターネットを通じて行われるものを含む。）であって、当該行為の対象となった児童等が心身の苦痛を感じているものをいうこととした。（第2条関係）

　（三）　基本理念

　いじめの防止等のための対策は、いじめが全ての児童等に関係する問題であることに鑑み、児童等が安心して学習その他の活動に取り組むことができるよう、学校の内外を問わずいじめが行われなくなるようにすることを旨として行われなければならないこととした。（第3条関係）

　（四）　いじめの禁止

児童等は、いじめを行ってはならないこととした。(第 4 条関係)

2　いじめ防止基本方針等

(一)　いじめ防止基本方針

文部科学大臣は、関係行政機関の長と連携協力して、いじめの防止等のための対策を総合的かつ効果的に推進するための基本的な方針を定めることとした。(第 11 条関係)

(二)　地方いじめ防止基本方針

地方公共団体は、いじめ防止基本方針を参酌し、その地域の実情に応じ、当該地方公共団体におけるいじめの防止等のための対策を総合的かつ効果的に推進するための基本的な方針を定めるよう努めることとした。(第 12 条関係)

(三)　学校いじめ防止基本方針

学校は、いじめ防止基本方針又は地方いじめ防止基本方針を参酌し、その学校の実情に応じ、当該学校におけるいじめの防止等のための対策に関する基本的な方針を定めることとした。(第 13 条関係)

(四)　いじめ問題対策連絡協議会

地方公共団体は、いじめの防止等に関係する機関及び団体の連携を図るため、条例の定めるところにより、学校、教育委員会、児童相談所、法務局又は地方法務局、都道府県警察その他の関係者により構成されるいじめ問題対策連絡協議会を置くことができることとした。(第 14 条関係)

3　基本的施策

(一)　学校におけるいじめの防止

学校の設置者及びその設置する学校は、児童等の豊かな情操と道徳心を培い、心の通う対人交流の能力の素地を養うことがいじめの防止に資することを踏まえ、全ての教育活動を通じた道徳教育及び体験活動等の充実を図らなければならないこととした。(第 15 条関係)

(二)　いじめの早期発見のための措置

学校の設置者及びその設置する学校は、当該学校におけるいじめを早期に発見するため、当該学校に在籍する児童等に対する定期的な調査その他の必要な措置を講ずることとした。(第 16 条関係)

4　いじめの防止等に関する措置

(一)　学校におけるいじめの防止等の対策のための組織

学校は、当該学校におけるいじめの防止等に関する措置を実効的に行うため、当該学校の複数の教職員、心理、福祉等に関する専門的な知識を有する者その他の関係者により構成されるいじめの防止等の対策のための組織を置くこととした。(第 22 条関係)

(二)　いじめに対する措置 (第 23 条関係)

152

(1) 学校の教職員、地方公共団体の職員その他の児童等からの相談に応じる者及び児童等の保護者は、児童等からいじめに係る相談を受けた場合において、いじめの事実があると思われるときは、いじめを受けたと思われる児童等が在籍する学校への通報その他の適切な措置をとることとした。

(2) 学校は、いじめが犯罪行為として取り扱われるべきものであると認めるときは所轄警察署と連携してこれに対処するものとし、当該学校に在籍する児童等の生命、身体又は財産に重大な被害が生じるおそれがあるときは直ちに所轄警察署に通報し、適切に、援助を求めなければならないこととした。

5 重大事態への対処関係

(一) 学校の設置者又はその設置する学校は、いじめにより当該学校に在籍する児童等の生命、心身又は財産に重大な被害が生じた疑いがあると認められる等の場合には、その事態（以下「重大事態」という。）に対処し、及び当該重大事態と同種の事態の発生の防止に資するため、速やかに、当該学校の設置者又はその設置する学校の下に組織を設け、質問票の使用その他の適切な方法により当該重大事態に係る事実関係を明確にするための調査を行うこととした。（第 28 条関係）

(二) 重大事態が発生した場合には、学校の設置者等は、（一）の調査の結果について調査を行うことができることとしたとともに、その調査の結果を踏まえ、当該調査に係る重大事態の対処又は当該重大事態と同種の事態の発生の防止のために必要な措置を講ずることとした。（第 29 条〜第 33 条関係）

6 雑則

学校の評価を行う場合においていじめの防止等のための対策を取り扱うに当たっては、いじめの事実が隠蔽されず、いじめの実態の把握及びいじめに対する措置が適切に行われるよう、いじめの早期発見、いじめの再発を防止するための取組等について適正な評価が行われるようにしなければならないこととした。（第 34 条関係）

文部省初等中等教育局長通知「児童生徒のいじめの問題に関する指導の充実について」（抄）（昭和 60 年 6 月 29 日文部省初等中等局 201 号）

いじめにより児童生徒の心身の安全が脅かされるような深刻な悩みを持っている等の場合は、従来から学校教育法施行令第 9 条に規定する学校指定の変更の相当と認められる理由に該当するとされているところであるが、今後ともその運用に当たっては、医師、教育相談機関の専門家、関係学校長などの意見等も十分に踏まえた上、各市町村教育委員会が適切に対処されたいこと。

文部省初等中等教育局長通知「いじめの問題に関する総合的な取組について」

（抄）（平成 8 年 7 月 26 日 386 号）

(1) いじめる児童生徒に対しては、保護者の協力を積極的に求めながら、教育的な指導を徹底して行うほか、一定期間、校内においてほかの児童生徒と異なる場所で特別の指導計画を立てて指導することも有効と考えられること。また、いじめた児童生徒が、いじめを繰り返したり、いじめられる側に回ったりすることのないよう継続して指導すること。

(2) いじめの状況が一定の限度を超える場合には、いじめられる児童生徒を守るために、いじめる児童生徒に対し出席停止の措置を講じたり、警察等適切な関係機関の協力を求め、厳しい対応策をとることも必要であること。特に、暴行や恐喝など犯罪行為に当たるようないじめを行う児童生徒については、警察との連携が積極的に図られてよいこと。

(3) いじめられる児童生徒には、いじめの解決に向けての様々な取組を進めつつ、児童生徒の立場に立って，緊急避難としての欠席が弾力的に認められてよいこと。その際、保護者と十分に連携を図るとともに、その後の学習に支障を生ずることのないように工夫するなど十分な措置を講ずる必要があること。

(4) いじめられる児童生徒又はいじめる児童生徒のグループ替えや座席替え、さらに学級替えを行うことも必要であること。また、必要に応じて児童生徒の立場に立った弾力的な学級編制替えも工夫されてよいこと。

(5) いじめられる児童生徒には、保護者の希望により、関係学校の校長などの関係者の意見等も十分に踏まえて、就学すべき学校の指定の変更や区域外就学を認める措置について配慮する必要があること。この場合、いじめにより児童生徒の心身の安全が脅かされるようなおそれがある場合はもちろん、いじめられる児童生徒の立場に立って、いじめから守り通すため必要があれば弾力的に対応すべきこと。

＜関係機関との連携＞

文部省初等中等教育局長通知「児童生徒の問題行動等への対応のための学校と関係機関との連携等について」（抄）（平成 10 年 12 月 25 日 313 号）

児童生徒の問題行動等への対応するに当たっての学校と関係機関との連携については、これまでも各種通知等を通じてその必要性を促してきたところであり、最近でも、本年 4 月 30 日付け文初中第 313 号「児童生徒の問題行動等への対応のための校内体制の整備等について」においてお願いしたところであります。また、このことは、本年 6 月 30 日付け中央教育審議会答申「新しい時代を拓く心を育てるために－次世代を育てる心を失う危機－」においても提言されているところであります。

各学校においては、これらを踏まえ、児童生徒の問題行動等への対応に当たって日ごろから努力を払われているところと承知しておりますが、先般も遺憾ながら中学生による刃物を使用した殺傷事件が発生しております。

また、本年 12 月 12 日には総務庁長官から文部大臣に対し、別添のとおり「義務教育諸学校等に関する行政監察結果に基づく勧告」が行われ、学校と関係機関との連携、学校から保

護者への情報提供等について一層の改善措置を講ずる必要がある旨の指摘がなされました。

　貴職におかれては、これらの指摘等を踏まえ、域内の市町村教育委員会に対し、児童生徒の問題行動等への対応するに当たって、所管の学校が関係機関と緊密な連携を図るなどの取組を一層充実させる必要性について、周知されるようお願いします。

＜飲酒・喫煙の禁止＞

未成年者飲酒禁止法（大正 11 年 3 月 30 日法律第 20 号　最終改正平成 13 年 12 月 12 日法律 152 号）

　第 1 条　満 20 年ニ至ラサル者ハ酒類ヲ飲用スルコトヲ得ス

　2　未成年者ニ対シテ親権ヲ行フ者若ハ親権者ニ代リテ之ヲ監督スル者未成年者ノ飲酒ヲ知リタルトキハ之ヲ制止スヘシ

　3　営業者ニシテ其ノ業態上酒類ヲ販売又ハ供与スル者ハ満 20 年ニ至ラサル者ノ飲用ニ供スルコトヲ知リテ酒類販売又ハ供与スルコトヲ得ス

　4　営業者ニシテ其ノ業態上酒類ヲ販売又ハ供与スル者ハ満 20 年ニ至ラザル者ノ飲酒ノ防止ニ資スル為年齢ノ確認其ノ他ノ必要ナル措置ヲ講ズルモノトス

　第 2 条　満 20 年ニ至ラサル者カ其ノ飲用ニ供スル目的ヲ以テ所有又ハ所持スル酒類及其ノ器具ハ行政ノ処分ヲ以テ之ヲ没収シ又ハ廃棄其ノ他ノ必要ナル処置ヲ為サシムルコトヲ得

　第 3 条　第 1 条第 3 項ノ規定ニ違反シタル者ハ 50 万円以下ノ罰金ニ処ス

　2　第 1 条第 2 項ノ規定ニ違反シタル者ハ科料ニ処ス

　第 4 条　法人ノ代表者又ハ法人若ハ人ノ代理人、使用人其ノ他ノ従業者カ其ノ法人又ハ人ノ業務ニ関シ前条第 1 項ノ違反行為ヲ為シタルトキハ行為者ヲ罰スルノ外其ノ法人又ハ人ニ対シ同項ノ刑ヲ科ス

未成年者喫煙禁止法（明治 33 年 3 月 7 日法律第 33 号　最終改正平成 13 年 12 月 12 日法律 152 号）

　第 1 条　満 20 年ニ至ラサル者ハ煙草ヲ喫スルコトヲ得ス

　第 2 条　前条ニ違反シタル者アルトキハ行政ノ処分ヲ以テ喫煙ノ為ニ所持スル煙草及器具ヲ没収ス

　第 3 条　未成年者ニ対シテ親権ヲ行フ者情ヲ知リテ其ノ喫煙ヲ制止セサルトキハ科料ニ処ス

　2　親権ヲ行フ者ニ代リテ未成年者ヲ監督スル者亦前項ニ依リテ処断ス

　第 4 条　煙草又ハ器具ヲ販売スル者ハ満 20 年ニ至ラザル者ノ喫煙ノ防止ニ資スル為年齢ノ確認其ノ他ノ必要ナル措置ヲ講ズルモノトス

　第 5 条　満 20 年ニ至ラサル者ニ其ノ自用ニ供スルモノナルコトヲ知リテ煙草又ハ器具ヲ販売シタル者ハ 50 万円以下ノ罰金ニ処ス

第6条　法人ノ代表者又ハ法人若ハ人ノ代理人、使用人其ノ他ノ従業者ガ其ノ法人又ハ人ノ業務ニ関シ前条ノ違反行為ヲ為シタルトキハ行為者ヲ罰スルノ外其ノ法人又ハ人ニ対シ同条ノ刑ヲ科ス

参考文献

＜序章＞

朝日新聞神戸支局編『少女・15歳－神戸高塚高校校門圧死事件』長征社 1991 年

細井敏彦『校門の時計だけが知っている』草思社 1993 年

神戸高塚高校事件を考える会『神戸発「親バカ」奮戦記』光陽出版社 1996 年

＜1章＞

坂本秀夫『生徒懲戒の研究』学陽書房 1982 年

今橋盛勝・安藤博『教育と体罰－水戸五中事件裁判記録－』三省堂 1983 年

牧柾名・今橋盛勝・林量俶・寺崎弘昭『懲戒・体罰の法制と実態』学陽書房 1992 年

坂本秀夫『体罰の研究』三一書房 1995 年

柿沼昌芳・永野恒雄編著『教師という＜幻想＞』批評社 1998 年

藤井誠二『体罰はなぜなくならないのか』幻冬舎新書 2013 年

島沢優子『桜宮高校バスケット部体罰事件の真実─そして少年は死ぬことに決めた』朝日新聞出版 2014 年

吉田卓司「なぜ体罰はなくならないのか」月刊生徒指導 1993 年 4 月号

吉田卓司「体罰をやめますか教師をやめますか」月刊生徒指導 1995 年 6 月号

＜2章＞

朝日新聞社会部『なぜボクはいじめられるの─子ども・親・教師のいじめ体験 200 人の告白』教育史料出版 1995 年

望月彰・土屋基規編著『いのちの重みを受けとめて』神戸新聞総合出版センター 1997 年

柿沼昌芳・永野恒雄編『学校という＜病い＞』批評社 1998 年

武田さち子『あなたは子どもの心と命を守れますか！』ＷＡＶＥ出版 2004 年

吉田卓司「学校教育における生徒指導と修復的司法─いじめ事件におけるＶＯＭの活用」（『前野育三先生古稀祝賀論文集─刑事政策学の体系』所収）法律文化社 2008 年

森田洋司『いじめとは何か─教室の問題、社会の問題』中公新書 2010 年

尾木直樹『いじめ問題をどう克服するか 』岩波新書 2013 年

共同通信大阪社会部『大津中2いじめ自殺－学校はなぜ目を背けたのか』PHP 新書 2013 年

日本弁護士連合会子どもの権利委員会『子どものいじめ問題ハンドブック──発見・対応から予防まで』明石書店 2015 年

吉田卓司「いじめ事案への一対応としての修復的教育」養護教諭教育実践研究学会「養護教諭教育実践研究」2 巻 1 号 2016 年

156

国立教育政策研究所生徒指導・進路指導研究センター「生徒指導リーフ」シリーズ http://www.nier.go.jp/shido/leaf/

＜3章＞

高橋祥友『自殺予防マニュアル』金剛出版 1999 年

土居陽子「『完全自殺マニュアル』の予約をめぐって」学図研ニュース 98 号（1994 年）

吉田卓司「子どもの自殺と学校教育」学図研ニュース 98 号（1994 年）

阪中順子『学校現場から発信する子どもの自殺予防ガイドブック―いのちの危機と向き合って』金剛出版 2015 年

松本俊彦『もしも「死にたい」と言われたら―自殺リスクの評価と対応』中外医学社 2015 年

文部科学省「教師が知っておきたい子どもの自殺予防」http://www.mext.go.jp/component/b_menu/shingi/toushin/__icsFiles/afieldfile/2009/04/13/1259190_12.pdf

＜4章＞

金賛汀『「高校」を考える』情報センター 1987 年

門野晴子『学校休んで一息ついて』雲母書房 1992 年

高垣忠一郎『大事な忘れもの―登校拒否のはなし』法政出版 1994 年

兵庫民主教育研究所子どもの人権委員会編『子ども虐待と向き合う―兵庫・大阪の教育福祉の現場から』三学出版 2014 年

スクールソーシャルワーク評価支援研究所編『すべての子どもたちを包括する支援システム―エビデンスに基づく実践推進自治体報告と学際的視点から考える』せせらぎ出版 2016 年

＜5章＞

君和田和一編『性被害のふせぎ方』法政出版 1995 年

川田文子編著『授業「従軍慰安婦」歴史教育と性教育からのアプローチ』教育史料出版 1998 年

河野美代子『いのち・からだ・性』高文研 1998 年

河野美代子『新版さらば、悲しみの性』集英社文庫 1999 年

河野美香『十七歳の性』講談社＋α新書 2000 年

日本児童教育振興財団内日本性教育協会編『「若者の性」白書―第 7 回 青少年の性行動全国調査報告―』小学館 2013 年

＜6章＞

能重真作・全国生活指導研究協議会『教師入門―非行・問題行動で悩む教師へ』明治図書出版 1988 年

加藤幸雄ほか編著『司法福祉の焦点―少年司法分野を中心として』ミネルヴァ書房 1994 年

才村真理編『元気になーれ―対人援助のプロ技』三学出版 2001 年

ジム・コンセディーン , ヘレ・ボーエン編前野育三ほか訳『修復的司法―現代的課題と実践』
　関西学院大学出版会 2001 年

木村隆夫『非行克服の援助実践』三学出版 2003 年

前野育三ほか『刑事政策のすすめ―法学的犯罪学』法律文化社 2007 年

山野則子・半羽利美佳・野田正人『よくわかるスクールソーシャルワーク（やわらかアカデ
　ミズム・わかるシリーズ）』ミネルヴァ書房 2012 年

前田忠弘・松原英世・平山真理・前野育三『刑事政策がわかる』法律文化社 2014 年

法務省『犯罪白書』（年刊）

＜ 7 章＞

坂本秀夫『校則の研究―だれのための生徒心得か』三一書房 1986 年

アメリカ自由人権協会編 THE RIGHTS OF STUDENTS 和訳会訳青木宏治・川口彰義監訳
　『生徒の権利』教育史料出版会 1990 年

柿沼昌芳『「甘い」指導のすすめ』三省堂 1995 年

柿沼昌芳・永野恒雄編著『荒れる学校―戦後教育の検証別巻 1』批評社 1998 年

「非行」と向き合う親たちの会編『ＫＩＺＵＮＡ（絆）―親・子・教師の「非行」体験第 2 集』
　新科学出版社 2002 年

大津尚志『校則を考える―歴史・現状・国際比較―』晃洋書房 2021 年

＜全般＞

・参考図書

柿沼昌芳・永野恒雄ほか『学校の中の事件と犯罪 1945 ～ 1985（戦後教育の検証）』批評社
　2002 年

柿沼昌芳・永野恒雄ほか『学校の中の事件と犯罪 1986 ～ 2001（戦後教育の検証）』批評社
　2002 年

小野田正利『先生の叫び 学校の悲鳴』エイデル研究所 2005 年

柿沼昌芳・永野恒雄ほか『学校の中の事件と犯罪 1973 ～ 2005（戦後教育の検証）』批評社
　2005 年

小野田正利『悲鳴をあげる学校―親の"イチャモン"から"結びあい"へ』旬報社 2006 年

吉田卓司『生徒指導法の実践研究―健全育成と教職教育の新戦略』三学出版 2008 年

小野田正利『イチャモン研究会―学校と保護者のいい関係づくりへ』ミネルヴァ書房 2009 年

柿沼昌芳・永野恒雄ほか『「生徒指導提要」一問一答―生徒指導のバイブルを読み解く』同
　時代社 2012 年

吉田卓司『教育方法原論―アクティブ・ラーニングの実践研究』三学出版 2013 年

小野田正利『普通の教師が"普通に"生きる学校―モンスター・ペアレント論を超えて』時
　事通信社 2013 年

日本教育法学会『コンメンタール教育基本法』学陽書房 2021 年

・雑誌、政府刊行物
『季刊教育法』エイデル出版
『教育』国土社
『教職課程』協同出版
『教職研修』教育開発研究所
『月刊生徒指導』学事出版
全国生活指導研究協議会編『生活指導』高文研
文部科学省『生徒指導提要』教育図書 2011 年
内閣府編『子供・若者白書』日経印刷（年刊）

・事典、六法等
市川昭午・永井憲一監修『子どもの人権大事典』エムティ出版 1997 年
土屋基規ほか編『最新・学校教育キーワード』旬報社 2001 年
学校事故法律実務研究会編『学校事故の法律実務』新日本法規出版（加除式）
市川須美子・小野田正利・勝野正章編『教育小六法』学陽書房（年刊）
解説教育六法編修委員会　編『解説教育六法』三省堂（年刊）
森隆夫ほか編『必携学校小六法』協同出版（年刊）
浪本勝年ほか編『ハンディ教育六法』北樹出版（年刊）
日本子どもを守る会編『子ども白書』本の泉社（年刊）

吉田卓司（よしだ　たかし）藍野大学医療保健学部准教授
1958 年　兵庫県神戸市生まれ
大阪大学大学院人間科学研究科博士課程後期課程単位取得満期退学
主な著作
『教育方法原論―アクティブ・ラーニングの実践研究』三学出版（2013）．『生徒指導法の実践研究』三学出版（2008）．『総合的な学習／探究の時間の実践研究』（共編著）渓水社（2021）．『新版・子ども虐待と向き合う―兵庫・大阪の教育福祉の現場から』（共著）三学出版（2020）．『学校の中の犯罪と事件Ⅰ・Ⅱ・Ⅲ』（共著）批評社（2002 ～ 2005）．『元気になれ―対人援助のプロ技』（共著）三学出版(2001)．『教師という＜幻想＞』（共著）批評社(1998)．『授業・「従軍慰安婦」』（共著）教育史料出版（1998）．『いのちの重みを受け止めて―子どもの人権と兵庫の教育』（共著）神戸新聞総合出版センター（1997）．『懲戒体罰の法制と実態』（共著）学陽書房（1992）．『問答式・学校事故の法律実務』（共著）新日本法規出版（加除式 1987 ～）．『修復的司法―現代的課題と実践』（共訳）関西学院大学出版会（2001）．アメリカ自由人権協会編『女性は裁判をどうたたかうか』（共訳）教育史料出版（1997）．アメリカ自由人権協会編『生徒の権利』（共訳）教育史料出版(1990)．「いじめ事案への一対応としての修復的教育」『養護教諭教育実践研究』2 号（2016）．「フランス・マルチニーク大学区における多文化共生教育」大阪大学未来戦略機構『未来共生学』創刊号（2014）．「アメリカ犯罪学におけるコントロール理論の展開と課題」『犯罪社会学研究』14 号（1989）．

教育実践基礎論
－アクティブ・ラーニングで学ぶ－
_____

2022年3月10日初版印刷
2022年3月15日初版発行

　　著　者　　吉田卓司
　　発行者　　中桐十糸子
　　発行所　　三学出版有限会社
_____

　　　　〒 520-0835 滋賀県大津市別保 3 丁目 3-57 別保ビル 3 階
　　　　　TEL 077-536-5403　FAX 077-536-5404
　　　　　　　https://sangakusyuppan.com/
_____

©YOSHIDA Takashi　　　　　モリモト印刷（株）印刷・製本